Éducation et société en Russie dans le second tiers du XIXe siècle

ÉCOLE PRATIQUE DES HAUTES ÉTUDES — SORBONNE
SIXIÈME SECTION : SCIENCES ÉCONOMIQUES ET SOCIALES

Civilisations et sociétés 40

MOUTON · PARIS · LA HAYE

ALAIN BESANÇON

Éducation et société en Russie

dans le second tiers du XIXe siècle

MOUTON · PARIS · LA HAYE

Illustration de la couverture : N.A. Jarošenko, « L'étudiant » (1881)

Cet ouvrage a été publié avec le concours du Centre National de la Recherche Scientifique

ISBN 2-7193-0407-7 et 2-7132-0017-2
Library of Congress Catalog Card Number : 73-94307

Imprimé en France

Préface

La présente étude a été écrite en 1962. Il me faut expliquer pourquoi je ne l'ai pas publiée et pourquoi je la publie aujourd'hui.

En ce qui touche le premier point, je n'ai pas de bonnes raisons à faire valoir. J'avais entrepris une thèse sur l'*Intelligentsia russe dans les années soixante.* Il me semblait et il me semble toujours qu'il ne fallait pas croire l'intelligentsia sur parole quand elle justifiait son existence et ses opinions par l'état déplorable de la Russie, mais qu'il fallait l'étudier comme une formation sociale de droit commun, originale certes, dont la société russe était en effet responsable, mais pas comme le croyait l'intelligentsia. Une méthode possible était alors de passer en revue les expériences vitales par lesquelles elle était passée et qui l'avaient formée. La première de celles-ci était l'école, la fabrique naturelle de l'intelligentsia. C'est par là que je commençai. Je dépouillai la littérature disponible et je pus même travailler quelque temps aux archives de Moscou et de Leningrad où l'archiviste me remit quelques dossiers du fond de l'ancien ministère de l'Instruction publique et de la *troisième section.*

S'il m'est permis de porter un jugement sur ce travail, je dirais qu'il représente une chronique exacte, proche des sources, abondante en détails, mais à ras de terre. C'est ainsi que je le jugeai à l'époque et le résultat me parut d'un faible intérêt pour les autres et pour moi. Laissant la sociologie, je m'en allai aussitôt que je le pus vers le domaine plus riant de la culture russe. J'y restai.

Pourquoi, dès lors, publier ? Pour deux raisons de circonstances.

La première est la crise des universités occidentales, commencée à Berkeley en 1964 et qui n'épargna pas notre pays. Or la crise de l'université russe vers 1860 offre un modèle réduit, le plus ancien de tous, de ce qui s'est passé ensuite à une échelle gigantesque dans un milieu à tous égards différent, sauf peut-être dans les environs immédiats de l'institution universitaire.

La naissance de groupuscules, le trouble de la relation professeur-étudiant, la formation d'une subculture étudiante, le déracinement et ses effets, le chahut paralysant l'université, la participation étudiante au choix des professeurs, la revendication de *relevance*, la politisation galopante, tout cela a existé à Pétersbourg et à Moscou, en pleine autocratie, il y a plus d'un siècle, au sein d'universités dont l'effectif total était bien inférieur à celui d'une seule grande école parisienne d'aujourd'hui. Cela jette quelques doutes sur les explications de la crise actuelle qui s'appuient uniquement sur l'évolution de la démocratie, la modernité et la massification du monde universitaire.

D'autre part, on prend aujourd'hui mieux conscience de la consistance particulière de l'intelligentsia et il semble que ce siècle soit dominé par l'extension formidable du phénomène. Par récurrence, comme il se produit toujours, on se demande si ce concept d'intelligentsia n'est pas utilisable pour l'histoire du XVIIIe siècle français et des origines de la Révolution française. François Furet a entrepris une enquête sur la scolarisation de la nation française et je suppose que lui aussi essaie de mesurer les effets de l'école sur les groupes sociaux qui en sont issus.

Bien que j'eusse posé beaucoup plus nettement ces questions si j'avais fait ce travail aujourd'hui et non il y a quatorze ans quand personne n'y pensait, elles sont tout de même posées, quoique naïvement et à travers une simple description. François Furet a l'intention de pousser ses explorations au monde européen tout entier, dans une perspective comparatiste. Mon étude, si imparfaite soit-elle, couvre le domaine russe et c'est une première raison de la soumettre à d'autres critiques qu'à celle, rongeuse, des souris.

L'autre raison est le cours qu'a professé Martin Malia à l'Ecole Pratique des Hautes Etudes pendant l'année 1970-1971. Ceux qui ont eu la chance de l'écouter n'oublieront pas de sitôt la satisfaction d'écouter une démonstration historique arrivée à son point de rigueur et de maturité parfaites. En ce qui concerne l'éducation en Russie, Martin Malia a apporté les perspectives d'ensemble qui manquaient. En l'insérant dans un ensemble plus large, et plus véritablement historique, il donne rétrospectivement à mon étude un intérêt propre comme un cliché développé et agrandi. Sur deux points au moins il faut rappeler les grandes lignes de son enseignement.

1. LA PLACE DE L'ÉDUCATION DANS LA SOCIÉTÉ RUSSE

Le développement, au sens que les économistes modernes donnent à ce mot, est une tâche que se sont fixée les souverains russes depuis Pierre le Grand. Au début du XVIIIe siècle, il n'existait en Europe que deux Etats susceptibles de fournir des modèles au développement : l'Angleterre et la France. Là seulement existaient à la fois la forme moderne de l'organisation politique de l'Etat centralisé (sous la forme monarchique ou sous la forme parlementaire), une économie dynamique et une culture nationale épanouie. Dans les Allemagnes, dans l'Empire habsbourgeois, l'un au moins de ces trois facteurs était absent. En

Russie, au moins deux, l'économie moderne et la culture nationale. Cependant, il faut survivre, et pour survivre il faut imiter. Ainsi, ce qui est en Angleterre et en France le produit d'une croissance organique, sans plan préconçu, sans même conscience nette de ce qui constitue le processus civilisateur, est en Prusse, en Autriche et bien davantage en Russie, le produit de la volonté de l'Etat. A la transformation naturelle s'oppose la transformation forcée.

Mais le développement implique une transformation profonde de toute la société. Dans l'urgence où se trouve la Russie d'éviter le sort de la Pologne ou de la Turquie (et qu'elle va leur infliger), il ne peut être question d'un changement global en front continu. L'effort ne peut s'appliquer que là où le rendement immédiat est le plus grand, là où il produit, au moindre prix, ses plus grands effets : dans les formes d'organisation. Il est beaucoup moins cher d'investir dans la formation des cadres administratifs et militaires que dans l'équipement, il est moins dangereux de mettre artificiellement sur pied un système bureaucratico-militaire compétitif que d'entreprendre les réformes politiques et sociales qui donneraient plus tard à la Russie une texture similaire à cette société occidentale dont est sorti spontanément le système administratif et militaire, potentiellement si dangereux pour l'existence nationale de la Russie. C'est ainsi que l'investissement optimum est la mise sur pied d'un système étatique d'éducation.

En France, en Angleterre, le système d'éducation était utilisé et agréé par l'Etat, mais il en était indépendant. Les universités, corps autonomes, dataient du Moyen Age. Les collèges jésuites, les séminaires, les *public schools*, de la Renaissance. Pour tenir son rang, il fallait être instruit : c'était les parents, non l'Etat, qui envoyaient les enfants à l'école.

Il en alla autrement en Allemagne où l'Etat dut prendre l'initiative. Dans l'arriération culturelle, sociale, économique où se trouve l'Allemagne des lendemains de la guerre de Trente Ans, l'école d'Etat est l'investissement le plus avantageux. Mais tout n'était pas à créer. Il existait déjà un réseau d'établissements d'éducation qu'il ne restait qu'à systématiser et à orienter vers les fins que l'Etat se proposait. En pays protestant, en Wurtemberg, Hanovre, Prusse, se sont ouvertes en grand nombre des écoles piétistes où les enfants du peuple considèrent l'acquisition du savoir comme un devoir religieux, sont formés à la discipline intérieure et à l'ardeur au travail. En pays catholique, fort en retard pour l'enseignement de masse, existent tout de même des collèges jésuites. En outre, alors que les universités sont mortes depuis deux siècles en France, en Allemagne, favorisées paradoxalement par le retard historique, elles sont très vivantes. Il suffira, au XVIIIe siècle, de mobiliser le clergé pour le transformer en caste d'enseignants qualifiés au service de l'Etat. Les universités dispensent sous contrôle étatique un enseignement séculier et forment, à côté des clercs, les cadres supérieurs de la fonction publique. Ainsi le système germanique, embrassant le primaire, le secondaire et le supérieur, est-il le plus complet qui soit en Europe, et c'est lui que l'Autriche, d'abord, puis la Russie s'efforceront d'imiter.

Mais en Russie, il fallait tout faire. L'équilibre relatif qui avait fini par s'établir en Allemagne entre le souci d'autonomie de la république des lettres et les exigences de l'Etat ne pouvait s'établir en Russie où cette république n'existait pas et où l'Etat devait simultanément la créer et l'ordonner par rapport à lui.

Longtemps il alla au plus pressé, l'école militaire et l'école technique, où les nobles furent contraints d'envoyer leurs enfants. Puis, à l'autre pôle, furent fondées l'Académie des Sciences et l'Université de Moscou, institutions de luxe, presque vides, où d'illustres professeurs allemands se chamaillaient avec leurs premiers collègues russes hâtivement formés en Allemagne.

Ce n'est qu'au début du XIXe siècle que l'enseignement supérieur commença à fonctionner réellement, et l'enseignement secondaire, nettement plus tard. Mais pourquoi ce système, qui n'était encore qu'une esquisse, fut-il ainsi profondément réformé entre 1803 et 1830 ? Pour répondre à deux défis, celui de l'Europe des Lumières et celui de Napoléon. Le gouvernement russe, pour être « éclairé », comme il voulait le paraître aux yeux de l'Europe et à ses propres yeux, devait être rationnel, c'est-à-dire appliquer régulièrement de bonnes lois. Pour cela, il lui fallait une bureaucratie convenable. D'autre part, quand toute l'Europe se réorganisait selon les principes des carrières ouvertes aux talents, la réorganisation de l'Etat russe devenait urgente et affaire de survie. Il fallait une armée colossale, des bureaux pour l'organiser et l'entretenir. Il fallait resserrer le réseau administratif impérial. Enfin, après la crise du 14 décembre et la méfiance que le gouvernement en conçut durablement pour sa noblesse, il fallait assurer un second système de commandement, appuyé sur des cadres subalternes. La clé de tout cela, c'est l'éducation.

Mais où prendre les enseignants ? Il n'y avait qu'une seule réserve disponible, les séminaires organisés tant bien que mal au cours du XVIIIe siècle. On y puisa selon la recette prussienne. L'Institut pédagogique principal, ouvert en 1786, fermé en 1801, rouvert en 1803, a un personnel clérical et offre aux enfants de la caste sacerdotale la possibilité de passer à l'état laïque en faisant une carrière civile. Il devint, en 1819, l'Université de Saint-Pétersbourg et formera plusieurs centaines de professeurs de gymnases. En même temps, pour le supérieur, les jeunes gens les plus doués sont envoyés se former à la source, c'est-à-dire en Allemagne.

Ce recrutement clérical fut une des causes de la précoce entrée de la philosophie idéaliste allemande en Russie. Dans les séminaires, les professeurs chargés de la philosophie et soucieux de remplir leur devoir apologétique cherchaient une voie non cartésienne, non kantienne, non scolastique : restait l'idéalisme. D'obscurs professeurs, Galič, Vellanskij, Pavlov, Davydov, furent ainsi les introducteurs de Schelling qui devint en Russie le philosophe officiel (vers 1830), au moment où il passait de mode en Allemagne. L'introduction de Hegel n'est pas due à un itinéraire intellectuel spontané, mais tout simplement au cursus de formation des jeunes professeurs expédiés à Berlin et qui reviennent enseigner à la fin des années trente.

Quand ces complexes doctrines rencontrèrent les jeunes gens mal formés par un système d'éducation devenu obligatoire mais resté incomplet, précaire et insuffisant, il en résulta ce précipité qu'est l'idéologie russe. Belinskij, les jeunes gens du cercle de Petraševskij, nés intellectuellement de cette rencontre sont les premiers représentants de l'intelligentsia russe.

2. LE FACTEUR POLITIQUE

La formule sociale de l'intelligentsia était donnée à la fin du règne de Nicolas Ier : un mélange de nobles appauvris, d'enfants de fonctionnaires et de prêtres passés au moule de l'enseignement étatique, fondus en un groupe social irréductible à toutes les castes reconnues de la société russe. La formule idéologique aussi était trouvée, qui était de jauger les doctrines successives qui viennent d'Occident selon les critères socio-politiques du débat russe actuel et de les simplifier en vue de l'action. Ce qui est nouveau est qu'un certain consensus s'est établi entre les idées d'une intelligentsia qui n'est pas encore radicalisée, ce qu'on appelait la « société », et certains cercles gouvernementaux. La base de ce consensus est l'occidentalisme modéré, c'est-à-dire un hégélianisme dont les aspects métaphysiques se sont effacés au profit d'une politique centre gauche, ayant pour fin non la conscience de soi mais un certain avènement du régime libéral. Le slavophilisme a perdu la partie dans la jeunesse et dans l'université. Ce qui triomphe est une sorte de politique Guizot adaptée à la Russie : s'appuyant sur le progrès des Lumières et sur la vertu humanitaire de la littérature nationale, il faut viser l'abolition du servage, de la censure, des punitions corporelles et fonder un système judiciaire correspondant aux normes du monde civilisé. La liberté politique et les institutions représentatives ne font pas partie de ce consensus.

Mais il existe en réserve, voire en exil, un clan d'occidentalistes de gauche : Herzen, Bakunin, Ogarev... Ceux-là ajoutent la commune rurale. Vers 1840, ils avaient découvert le saint-simonisme — nouveau christianisme et *woman's lib* — puis Fourier et ce qu'ils commencent à appeler *social'nost'* et même, avec Herzen, *socializm*. A quoi les slavophiles rétorquent qu'il est inutile d'aller chercher en Occident une idée corrompue de plus, puisque la Russie a mieux à offrir, sa commune rurale. Le baron prussien Haxthausen arrivait en Russie pour chercher des arguments conservateurs et propres à appuyer les idées courantes en Allemagne sur la société « organique ». Dûment chapitré par ses amis slavophiles, il se documenta selon les règles de la science allemande. Sur son gros livre s'éleva la construction de Herzen. La « socialisation » de l'idée de commune démarqua les occidentalistes de gauche du courant général qui ne visait qu'à placer au plus vite la Russie dans le courant général unique du développement civilisateur. La Russie, disent-ils avec les slavophiles, est à part. En outre, ils enfantaient un autre dogme du radicalisme russe, l'utilitarisme esthétique. Dès 1846, Valer'jan Majkov déclare que l'art doit se mettre au service de la critique sociale. Le roman de Herzen, *A qui la faute ?* (1846) est le premier roman délibérément « social » de la littérature russe.

Sur ces entrefaites mourut le tyran et Alexandre II accéda au trône avec un programme de réformes. C'est seulement alors que se déclencha une crise de nature strictement politique dont le résultat fut la cristallisation définitive de l'intelligentsia révolutionnaire.

Crise politique : il n'y eut point de changement ni quantitatif ni qualitatif dans la composition sociale de l'intelligentsia : ce furent les mêmes gens, issus des mêmes milieux sociaux et en même nombre qu'auparavant qui, à cause de cette crise, se fixèrent dans des attitudes qui, au travers de la succession des doctrines, ne changèrent plus.

Le gouvernement d'Alexandre se veut conservateur et réformiste. En opérant la transformation administrative, il met en mouvement le procès décrit par Tocqueville des débuts de réforme dans un régime autoritaire. Il fut en effet incapable de contrôler la surenchère de la gauche. S'il n'acceptait pas les revendications chaque mois nouvelles et plus radicales, il était rejeté vers la réaction. A l'intérieur même de la gauche, un tri s'opéra. Ceux qui hésitaient à suivre le mouvement de radicalisation furent taxés de réaction et vilipendés comme alliés objectifs du gouvernement. L'Angleterre de 1640, la France de 1788, peut-être l'Amérique de Kennedy connurent des situations analogues.

De 1856 à la fin de 1858 régna un climat d'unanimité et d'euphorie. On parlait dans la presse de l'émancipation, les règlements, nullement abrogés, étaient appliqués avec douceur, on rêvait d'élever son semblable, on s'échauffait dans l'enthousiasme sentimental. « Tu as vaincu, Galiléen », s'écrie le *Kolokol* nouvellement fondé. Il n'y a d'isolés qu'à droite et ils ne sont pas réellement au pouvoir. Les divisions commencent en 1859, quand la gauche commence à s'inquiéter des intentions réelles du gouvernement, à passer à l'opposition, quand les libéraux, comme Čičerin, s'alarment du ton violent de Herzen. L'extrême gauche a déjà rompu et commence à clouer au banc d'infamie de la complicité objective la gauche modérée de Kavelin, Kostomarov, Herzen.

Dès 1859, l'adversaire principal de l'extrême gauche n'est pas le gouvernement mais cette gauche modérée. C'est alors que Černyševskij fait le voyage de Londres, rend visite au patriarche de la Révolution et déclare au retour que Herzen est un « Kavelin au carré ». Le Kavelin au carré but le calice, ne renia pas la Révolution. Mais le cœur n'y est pas et il se révolte contre le style *bilieux*. Čičerin, Kavelin, Turgenev sont expulsés dans les ténèbres extérieures. Le *Sovremennik* est épuré.

Ainsi l'union sacrée s'est rompue. Par ordre d'intransigeance ont fait défection les réalistes qui ne veulent toucher aux institutions qu'avec des mains tremblantes, puis la gauche rhétorique. Quand la réforme est promulguée en 1861, elle est refusée en bloc ou acceptée : point de milieu. L'extrême gauche a imposé dans son voisinage le tout ou rien et il n'est plus de position viable au milieu.

De son côté, le gouvernement s'est buté dans une attitude symétrique à celle des journalistes du *Sovremennik*. Il a fixé sur eux son antique terreur. S'il a tant tardé à libérer les serfs, c'est bien à cause de cette peur ancienne de la *Pugačevščina* et du *bunt* paysan. Croyant aux leçons de l'histoire, il est instruit par 1789 qu'il ne doit pas montrer de faiblesse envers les privilégiés. A la veille du 16 février, il est au bord d'une véritable panique. Mais l'édit est promulgué, et il ne se passe rien. Certes il y eut les cris des journaux et cette affaire de Bezdna qui trahit davantage la nervosité des gendarmes que l'esprit de révolte du moujik. Mais quand se produisent les anodines émeutes universitaires, il réagit avec excès. L'été suivant il arrête Černyševskij.

Remarquons que ce procès tocquevillien de polarisation, au contraire de celui des révolutions anglaises et françaises, s'effectue alors que l'Etat est encore solide et ne va pas jusqu'à la prise du pouvoir. Il produisit quand même ses effets mais en vase clos, à la manière d'un feu qui couve. C'est la révolution de 1917 qui leur donna rétrospectivement un intérêt historique énorme et jeta des générations de chercheurs sur la piste à demi effacée d'obscurs militants et de doctrinaires rébarbatifs.

En quoi le cours de Martin Malia me force-t-il à corriger mon analyse ?

Il me semble qu'elle peut se placer sans changement dans le cadre historique ainsi esquissé. Cependant, de m'être cantonné à l'intérieur de l'institution universitaire m'a fait exagérer l'importance de la logique interne de l'institution et sous-estimer le rôle externe de la politique et de l'idéologie. Dans la crise universitaire de 1861, j'impute les responsabilités au mauvais fonctionnement de l'université, au mauvais rapport entre enseignants et enseignés, à l'insertion difficile de l'université dans la société russe dont les principes lui sont contraires. Ce n'est pas faux. Mais c'est insuffisant. Ce n'est pas parce que l'institution était telle que l'idéologie s'est implantée, mais parce qu'elle était telle, elle ne lui a pas offert de résistance. La poussée idéologique a des causes multiples. L'université a été l'une d'elles, mais, l'idéologie une fois constituée, l'université a été le milieu le plus favorable et son multiplicateur. Sa crise est donc un maillon essentiel du phénomène plus général qu'est la formation de l'intelligentsia révolutionnaire.

I. L'école moyenne

1. L'ÉTATISATION DE L'ÉDUCATION [1]

Pendant tout le XVIIIe siècle, l'Etat russe a fait les plus grands efforts pour donner à la noblesse une formation de type occidental. Pierre le Grand faisait de l'instruction une partie intégrante du service qu'il attendait d'elle, et, depuis, les souverains cherchaient à persuader (au besoin à forcer) les nobles d'envoyer leurs enfants dans les écoles militaires et civiles prévues pour eux. Leur but est technique : il s'agit, dans l'intérêt de l'administration et de l'armée, d'assurer une formation standardisée et moderne (européenne), en arrachant l'enfant du milieu traditionaliste et culturellement divers de l'ancienne noblesse. En peu de temps cette politique obtint de grands résultats [2]. Mais la nouvelle noblesse, désormais européanisée, prenant, à la fin du XVIIIe siècle, une conscience claire de ses droits, était désireuse et capable d'offrir à ses enfants une éducation moderne indépendamment de l'Etat. Sous Alexandre Ier, le système éducatif russe résultait d'une sorte de compromis entre l'éducation privée du précepteur (une école noble par famille, idéalement) et l'école publique de l'Etat. Celle-ci reçut, au début du XIXe siècle, son statut ferme et complet. Le ministère de l'Instruction publique fut fondé en 1802. L'empire fut divisé en six circonscriptions scolaires. Chaque chef-lieu de gouvernement dut posséder, en principe, son « école de gouvernement » ou gymnase. Son directeur serait le directeur de « l'école de district » qui existerait dans chaque chef-lieu de district et de gouvernement. Le « surveillant » de l'école de district surveillerait à son tour « l'école de paroisse ». Ainsi étaient définis trois cycles d'enseignement.

Les programmes étaient considérablement élargis par rapport à ceux du temps de Catherine [3]. Certaines matières, la logique, l'économie poli-

1. La meilleure introduction générale aux problèmes de l'éducation en Russie reste MILJUKOV, 1896-1909, cité d'après l'édition de 1899 (7e partie). L'histoire officielle du ministère de l'Instruction publique est retracée dans ROŽDESTVENSKIJ, 1902. Deux histoires récentes avec bibliographies : JOHNSON, 1950, et surtout ALSTON, 1969.
2. RAEFF, 1962.
3. MILJUKOV, 1899, p. 312-313.

tique, le droit naturel et le droit des gens, faites pour être enseignées à l'université, l'étaient dès le gymnase. Celui-ci tendait donc à devenir une sous-université, mal reliée à l'université proprement dite. Uvarov, curateur de la circonscription scolaire de Saint-Pétersbourg, introduisit, en 1811, une correcte hiérarchisation [4]. Dès lors, le programme de sept ans du gymnase ne fut plus modifié, dans ses grandes lignes, jusqu'à la fin de l'Ancien Régime.

Il fallait obtenir que les parents plient leurs enfants à cette longue scolarité, renoncent à leur habitude de les retirer avant le terme normal, sitôt qu'ils jugeaient qu'ils en savaient assez. On stabilisa ces nouveaux établissements en les budgétisant, car, en Russie, il ne pouvait être question de les abandonner à des initiatives privées : ils eussent disparu en peu d'années. Auprès de chaque université, on fonda des instituts pédagogiques, sortes d'écoles normales chargées de la formation des professeurs [5]. Surtout, il devint nécessaire de suivre d'un bout à l'autre la scolarité du gymnase pour entrer à l'université, et, à son tour, seule l'entrée à l'université permettait d'accéder au grade d'*assesseur de collège* (8e rang). Cet ukase, vraiment capital (1809), privilégiait définitivement l'enseignement public par rapport à l'enseignement privé.

Et pourtant ce fut insuffisant. Dans la circonscription scolaire de Pétersbourg, l'effectif des gymnases stagne, diminue même légèrement entre 1810 et 1828, pendant que l'effectif des écoles privées augmente de plus de moitié [6]. La noblesse boude les gymnases. Elle les trouve ternes, tristes, livresques. On n'y apprend ni les langues étrangères, ni la danse, ni l'escrime, ni les bonnes manières. L'instruction n'y est pas supérieure à celle qu'elle est en mesure d'organiser elle-même, et l'éducation n'y est pas celle d'un gentilhomme. Techniquement donc, il semble que ce réseau de gymnases fondés à grands frais par l'Etat, ne se justifie plus, du moins aux yeux de la noblesse à l'apogée de sa force. C'est alors que la crise décembriste lui donne une nouvelle justification : politique.

Rendant publique, le 13 juillet 1826, la condamnation des chefs décembristes, le manifeste impérial contenait cet avertissement :

> « Ce n'est pas à l'instruction, mais à l'oisiveté de l'esprit, plus nuisible que l'oisiveté du corps, à l'insuffisance de connaissances solides qu'il faut attribuer cette indépendance d'esprit, ce demi-savoir superflu et funeste, cet entraînement aux rêveries extrêmes, qui amène d'abord la corruption des mœurs, ensuite leur perdition. Tous les efforts et les sacrifices de l'Etat seront vains si l'éducation donnée

4. Elle fut étendue aux autres circonscriptions en 1817. MILJUKOV, *ibid.*, p. 323.
5. L'Institut pédagogique principal de Saint-Pétersbourg est ainsi réorganisé en 1804 et reçoit une centaine d'étudiants, la plupart d'origine ecclésiastique. Il sera le noyau de la future université, fondée en 1819. Kazan', Kiev et Har'kov furent aussi dotés d'instituts pédagogiques.
6. *Cf.* tableau en annexe.

à la maison ne prépare pas de bonnes mœurs et ne collabore pas avec ses vues. » [7]

Le souci de l'Etat n'est plus de civiliser une fraction de la population, mais de la contrôler. Il faut qu'il se charge non seulement de l'instruction *(obrazovanie)* mais de l'éducation *(vospitanie)* et qu'il extirpe, jusque dans le sein des familles, le germe des idées mauvaises. La politique scolaire de Nicolas Ier s'inscrit dans le nouvel arrangement qui s'établit entre l'Etat et la noblesse, laquelle, contre un raffermissement de ses privilèges sociaux et économiques, doit céder à la bureaucratie les privilèges politiques qu'elle avait acquis au XVIIIe siècle, et une partie de ses privilèges civils.

Nous pouvons ainsi comprendre les délibérations du Comité, réuni dès 1826, pour préparer la réforme scolaire [8]. Deux tendances y apparaissent. La première est de spécialiser l'école selon les lignes de clivage de la société russe. L'école serait *soslovnaja.* L'école de paroisse serait l'école des classes viles, du paysan, du *meščanin* et de l'artisan. A l'école de district, iraient les enfants des marchands, des sous-officiers, des bas fonctionnaires. Les gymnases seront principalement destinés aux enfants de la noblesse. Principalement, mais non uniquement, ou, pour reprendre l'expression du Comité, de préférence, mais pas obligatoirement [9]. En effet, il est dans les intentions de l'Etat d'éviter autant que possible de donner à l'enfant une éducation au-dessus des espérances d'avenir qu'il peut légitimement attendre, et qui ne pourrait que l'aigrir et le disposer aux idées malsaines. Mais il aurait été contraire à l'esprit du bureaucratisme tsariste de faire cadeau à la noblesse d'une école privilégiée, qui serait devenue sa propriété et non plus celle de l'Etat. La noblesse constitue normalement et par tradition le réservoir des serviteurs de l'Etat. C'est dans l'intérêt de celui-ci et non de celle-là que les gymnases sont réservés à la noblesse.

L'autre tendance était de mettre fin à la division entre instruction et éducation, en faisant revenir l'éducation, anciennement abandonnée aux familles, entre les mains de l'Etat. Pour cela, on établirait auprès des gymnases, des pensions de la noblesse *(blagorodnye pensiony)* où l'on fournirait les connaissances auxquelles la noblesse russe, faute d'autres signes, se reconnaît : la danse, les bonnes manières, les langues vivantes, l'escrime. On était désormais justifié de barrer l'accès du service à qui ne pourrait présenter à tout le moins l'attestation de fin de scolarité d'une école de district, de promettre la quatorzième classe aux meilleurs éléments de chaque promotion des gymnases, de fermer progressivement les pensions privées de garçons.

7. MILJUKOV, 1899, p. 324.
8. Exposé du statut de 1828 dans ROŽDESTVENSKIJ, 1902, p. 194-204. Analyse succincte dans OKUN, 1957, p. 102.
9. ROŽDESTVENSKIJ, 1902, p. 198.

Tel fut, dans les grandes lignes, le statut du 8 décembre 1828. Quelle en fut l'efficacité ?

Les pensions de la noblesse s'ouvrirent en nombre suffisant : en 1849, il y en avait déjà quarante-sept. Jusqu'en 1863, leur nombre n'augmenta guère [10]. Il n'y a qu'une trentaine de gymnases qui n'en soient pas flanqués. Il était bien entendu que les pensionnaires dussent suivre les cours du gymnase, et ne recevoir dans la pension qu'un complément éducatif. Aucun avantage de carrière ne lui était associé. Mais, avec l'assentiment d'Uvarov, dans un gouvernement après l'autre commencèrent à s'ouvrir des instituts de la noblesse *(dvorjanskie instituty)* qui ajoutaient à la pension une scolarité plus courte (cinq ans), ce qui était conforme au vieux désir des familles toujours pressées de récupérer au plus tôt leur progéniture. Les instituts de la noblesse se présentaient donc comme ces écoles privilégiées que le système des gymnases avait voulu combattre. La noblesse ne put cependant s'approprier l'école d'Etat : le mouvement tourna court, il ne s'ouvrit en tout et pour tout que six « Instituts » [11].

Le signe le plus sûr du contrôle de l'Etat est la décadence d'un type d'enseignement qui pendant un siècle avait joué un rôle fondamental dans le processus d'occidentalisation de la noblesse russe. Quand un Russe, au temps de Pouchkine, nous parle de son enfance, il parle de son précepteur. Celui-ci disparaît des mémoires postérieurs [12]. Il était le maître, l'ami, le complice, l'éveilleur d'esprit, l'ouverture sur un monde inconnu [13]. Il ne se maintient plus dans ce rôle que dans les très grandes familles. Maintenant, il se borne à préparer l'enfant à entrer au gymnase, à épargner aux parents la peine de lui apprendre le rudiment, tout au plus à doubler le gymnase dans les matières qui y sont négligées : langues étrangères, déclamation, rhétorique, conversation française, histoire et géographie. Le centre de l'éducation s'est déplacé de la maison familiale dans l'établissement d'Etat, et le précepteur ne compte plus [14].

Il est devenu rare. Ils sont quelques centaines pour tout l'empire, massivement groupés dans les deux circonscriptions de Pétersbourg et de Dorpat [15]. Il y en a sept dans un gouvernement comme Kazan', neuf dans celui de Nižnij. Qui sont-ils ? des Russes pour la plupart, les autres presque tous des Allemands. Plus de la moitié sont des jeunes et des vieilles filles [16]. Leur enseignement n'est pas libre. L'Etat considère leur charge

10. Alešincev, 1912, p. 195.
11. Alešincev, *ibid.*, p. 135-138. Il n'y en eut qu'à Moscou, Vilna, Saint-Pétersbourg, Nižnij, Penza et Tiflis.
12. Sauf quand le mémorialiste appartenait à une grande famille comme Tolstoj, Kropotkin, S. Kovalevskaja.
13. C'est son précepteur russe qui fit lire à Herzen Ryleev, Baratinskij. *Cf. Byloe i dumy, passim.*
14. Dès 1843, le ministre avait décidé que « petit à petit l'éducation à domicile soit remplacée par l'enseignement d'Etat », Roždestvenskij, 1902, p. 294.
15. *ŽMNP*, 1855, t. 86, tableaux.
16. F. 733, op. II, n° 778, 1862, l. 16-49 ; F. 733, op. II, n° 6477, l. 25-49.

comme un Service, leur distribue des titres et leur assigne un rang, moyennant l'obtention d'un certificat délivré par l'Université [17]. Ils sont repérés, enregistrés, contrôlés.

Ainsi, vers 1830, l'école de l'Etat est-elle devenue la filière obligatoire par laquelle les enfants de la couche supérieure de la société russe devaient passer. Elle est devenue un instrument efficace pour l'application des plans de réforme morale qu'avait entrepris Nicolas. D'où l'importance nouvelle du contenu de la scolarité.

Dans les gymnases, elle s'étend sur sept ans, et fait suite, en principe, à celle des écoles des paroisses. L'âge moyen de fin d'études est dix-huit ans. Le souci gouvernemental est d'entourer l'enfant jusqu'à cet âge d'un cordon sanitaire. Du programme furent exclues les matières ayant un rapport trop étroit avec la réalité. Par exemple, la statistique, qui était enseignée avec la géographie, fut épurée de « toutes les réflexions ayant un rapport quelconque avec les sciences politiques » [18]. La logique fut supprimée. Mais c'est le sort des langues anciennes qui fut le plus curieux.

La question était de décider si le gymnase devait préparer l'entrée dans l'université ou dans la vie ; s'il devait donner un enseignement qui se suffise à lui-même. Dans le premier cas, conformément aux traditions, il fallait prévoir des chaires de latin et de grec. Dans le second, le grec était superflu. La pratique trancha. Il y avait pénurie de professeurs de grec. Il n'y en eut donc que dans certains lycées, et dans les autres l'on eut davantage de mathématiques et de physique. Mais pas davantage de langues vivantes, qui ne sont maintenues au programme que de justesse, car le français, en particulier, développait chez les élèves une certaine prétention, alors que le latin et le grec leur donnaient de la modestie et un juste sentiment de leur ignorance [19].

Or, dans la panique qui suivit la crise européenne de 1848, le gouvernement se mit à suspecter les langues classiques. Il craignit qu'elles ne conduisent, par l'intermédiaire de Rome et d'Athènes, au républicanisme et au mépris des lois de la Russie. Musin-Puškin, curateur de la circonscription scolaire de Saint-Pétersbourg et l'un des plus tristement célèbres *mrakobesy* (obscurantistes) du règne, fit décider de diviser les gymnases en deux sections, « classique » et « juridique » (1849). Voici comment un jeune lycéen fut placé devant le choix :

Pour connaître le « nombre des personnages s'occupant d'instruction à domicile dans l'empire en 1853 », *cf.* *ŽMNP*, 1854, t. 82. Notons que le chiffre s'écarte beaucoup de ceux donnés par le t. 86 pour 1854. Incertitude des statistiques russes...

17. ROŽDESTVENSKIJ, 1902, p. 291-294. Plusieurs catégories : *domašnyj učitel, domašnyj nastavnik...* Le rang est d'ordinaire la 14ᵉ classe, la plus basse.

18. ROŽDESTVENSKIJ, 1902, p. 273. Circulaire du 17 novembre 1844. La logique fut exclue par la circulaire du 9 janvier 1847.

19. MILJUKOV, 1899, p. 328.

« Quand le premier septembre nous fûmes réunis après la prière, et avant d'être répartis dans les classes, l'inspecteur nous dit (à nous, élèves de la quatrième classe) qu'il fallait décider, après en avoir parlé chez nous à qui de droit, ce que nous allions apprendre désormais. Voudrions-nous apprendre le latin qu'on nous enseignait depuis la première classe pour nous destiner à l'université ; ou bien une matière nouvelle, le droit *(zakonovedenie),* ou encore ni l'un ni l'autre ? Les ' juristes ' auraient droit à la quatorzième classe ; ceux qui opteraient pour la section universitaire pourraient entrer à l'université sans examen (moyennant des notes excellentes) ; les autres, ne sachant ni le latin, ni la législation russe, n'auraient aucun droit, mais en revanche auraient beaucoup moins de travail. » [20]

En 1851, il ne restait plus que huit gymnases enseignant le grec et le latin à la fois, la plupart dans les villes universitaires. Les heures récupérées sont données aux sciences naturelles [21].

Tel fut le premier épisode de cette affaire de langues anciennes qui devait empoisonner pendant tout le XIXe siècle le développement de l'enseignement secondaire. L'offensive du latin et du grec contre le français, dans le statut de 1828, se comprend aisément, le latin symbolisant le savoir « solide » de l'école de l'Etat contre le savoir mondain, léger, dangereux peut-être, de la culture noble. Mais on soupçonne bientôt l'opposition d'utiliser ces mêmes armes qu'on dirigeait contre elle. Le latin et le grec deviennent alors le symbole d'un humanisme inutile et les sciences exactes reprennent leur ancienne signification de préparation au service loyal et efficace. Si bien qu'en 1855 Granovskij, au nom de tout le mouvement libéral, réclamera avec force, contre les sciences naturelles, le rétablissement des langues classiques [22]. Mais quand, avec le scientisme, l'opposition passera de nouveau par les sciences naturelles, le comte Tolstoj, ministre de l'Instruction publique, imposera le retour au grec et au latin.

Il est clair que ni le latin, ni la botanique ne contiennent en eux-mêmes une orientation politique. Nous sommes évidemment dans un monde de symboles autour desquels se fait une cristallisation, et combien passionnée, des opinions. Tant que l'enseignement restait libre, la politique scolaire du gouvernement ne dérangeait pas l'indifférence de la partie instruite de la Russie. Mais, avec l'établissement du monopole de l'école, la politique scolaire touche la société au point sensible de son autonomie culturelle. L'école, destinée par l'Etat à être une zone neu-

20. BOBORYKIN, 1929, p. 15. Les mémoires de Boborykin, particulièrement vivants, sont ceux d'un homme qui a côtoyé tous les milieux, fréquenté tous les salons, mais n'a pas appartenu à l'intelligentsia protestataire. Il se tient lui-même pour un *šestidesjatnik* typique.
21. MILJUKOV, 1899, p. 334.
22. *Ibid.*

tre, à l'abri de toutes les questions du siècle, est prise justement dans le champ de force qui oppose à l'Etat la noblesse russe et les couches sociales qui partagent culturellement son destin. Telle est la première contradiction : en voulant dépolitiser l'école, Nicolas en a fait un enjeu politique essentiel.

2. L'ÉCOLE MOYENNE DANS LA SOCIÉTÉ RUSSE

On se rend mieux compte des répercussions de la politique scolaire du gouvernement si l'on connaît la façon dont l'école s'insère dans la société russe. Le trait le plus frappant, dont les autres dérivent, est l'isolement complet de l'enseignement secondaire.

L'école « moyenne » *(srednaja)* se trouve à la pointe modernisée d'une société où le sous-développement règne aux niveaux inférieurs. Elle a été établie sur le modèle occidental. Comme l'armée, l'organisation administrative et les palais de Pétersbourg, elle fait partie de l'image d'une Russie compétitive telle qu'elle était rêvée par la bureaucratie dirigeante. Un fossé infranchissable sépare donc le gymnase, qui fait partie de la machine d'Etat, dont le personnel occupe un rang honorable dans la fonction publique, qui émerge régulièrement du budget, et l'école primaire, presque inexistante. En fait, au-dessous du gymnase il n'y a rien.

Il n'y avait jamais rien eu : l'église orthodoxe n'avait jamais assumé de rôle enseignant. C'était étranger à sa mission. Le statut scolaire de 1804, qui se ressentait de l'influence de Laharpe, avait prévu ambitieusement l'institution d'une école par village. Mais qui l'entretiendra, si l'Etat ne s'en occupe pas ? Ni les paysans d'Etat, ni les *pomeščiki* n'en ont cure. Il fallut les injonctions pressantes du gouvernement pour que le clergé ouvrît quelques écoles. Une centaine furent ainsi ouvertes d'un seul coup en 1806 dans le gouvernement de Novgorod. Deux ans plus tard, elles avaient toutes disparu. Dans les villes seulement se maintient un réseau extrêmement lâche de quelques centaines d'écoles paroissiales *(prihodskie učilišča)* [23].

A partir de 1830, on commence à se rendre compte, surtout dans l'entourage du comte Kiselev, qu'il convient de prendre quelques mesures, ne fût-ce que pour former les *pisari* (ces greffiers rustiques indispensables à l'économie rurale), pour « diffuser parmi les paysans d'Etat l'instruction religieuse » et les « connaissances élémentaires plus ou moins nécessaires à chaque état ». En 1853, le ministère des Domaines contrôlait ainsi 2 795 écoles avec quelque 150 000 élèves. A vrai dire, il ne faut pas accorder un entier crédit à ce chiffre. Une autre source donne, pour la même date, un millier d'écoles paroissiales et cinquante mille élèves. Une troisième source — le recensement de 1856 —

23. MILJUKOV, 1899, p. 349-351, JOHNSON, 1950, p. 100-103, KNJAZKOV et SERBOV, 1910. *Cf.* en annexe de cet ouvrage le tableau auquel il faut accorder une confiance mesurée, p. 210.

8 000 écoles et 450 000 élèves [24]. En ce cas, à la fin du règne de Nicolas, moins de 1 % de la population de l'empire était scolarisée (0,70 %). Pour cette période, il n'existe pas de statistiques détaillées de l'enseignement primaire, et les quelques chiffres que l'on possède ne coïncident pas entre eux. Cette négligence, dans un pays où l'on a tendance à tout compter, montre que l'école primaire se trouve en dessous des préoccupations gouvernementales. Il faut noter que cette carence est dans une très faible mesure compensée par les paysans eux-mêmes. Il existe souvent dans les villages des écoles semi-clandestines tenues par des moujiks ou par des anciens soldats, qui n'ont aucune envie de faire parler d'eux ni de se faire contrôler en passant l'examen d'instituteur auprès d'une école de district. Ces libres écoles paysannes, dites *školy gramotnosti*, échappent aux statistiques. Un expert de la réforme scolaire de 1864 évalue leur nombre (à cette date) à une soixantaine de milliers. Elles formeront la base de l'école de *zemstvo* [25].

La belle hiérarchie du statut de 1828, avec ses trois degrés de l'école de paroisse, de l'école d'*uezd* et du gymnase, ne doit donc pas faire illusion. Le premier degré n'existe que sur le papier. L'école commence à partir de son inscription au budget : à partir de l'école de district. Ce fait explique certains traits de l'intelligentsia naissante ; elle est relativement homogène, par sa formation et son niveau social. Elle ne se relie pas à la sphère servile de la société russe [26]. Elle ne comprend pas dans ses rangs cette infanterie d'instituteurs et de cadres subalternes que l'école de *zemstvo* va former en masse à partir des années soixante-dix. Au début du règne d'Alexandre II, elle ne comprend qu'une poignée d'officiers sans troupe. Il ne s'est pas encore formé, pourrait-on dire, une armée de réserve intellectuelle.

24. *Statističeskie tablicy...*, 1858, p. 216-217.

25. Les statistiques ministérielles donnent, en 1866 encore, le même nombre d'école paroissiales (2 754), avec un effectif analogue (137 380 élèves). Mais elles font apparaître 3 842 écoles élémentaires *(škola gramotnosti)* qui compteraient quelque 80 000 élèves. En fait, on s'est contenté de coucher sur le papier un certain nombre d'écoles semi-clandestines de village. MILJUKOV, 1899, p. 351. Le Synode donne, pour 1868, 16 827 écoles, avec près de 400 000 élèves. Mais la plupart viennent d'être ouvertes sous la pression des évêques, parce que les popes ne montrent aucun zèle. « Au début, les paysans envoyaient volontiers leurs enfants dans ces écoles, mais bientôt ils déchantèrent. Les prêtres, au lieu d'enseigner, employaient les enfants à couper le bois, nourrir le bétail, faire la corvée d'eau, et l'école se retrouvait vide. » Kulomzin, expert du Comité de Réforme, cit. MILJUKOV, 1899, p. 352. A cette date de 1868, le centre de gravité de l'enseignement s'est déplacé vers le *zemstvo*.

26. Un maître d'école est enfermé dans la sphère servile, ou peu s'en faut, avant la réforme. « Le maître d'école élémentaire est considéré en Russie comme appartenant au dernier degré des citoyens. La médiocrité et même la pauvreté de sa situation matérielle le font dépendre de tous. Son travail épuisant et monotone, avec peu de moyens pour l'effectuer, lui ôte souvent tout désir de se perfectionner. Les préjugés enracinés contre l'état d'instituteur le coupent de la ' société '. » ARSEN'EV, 1818, p. 211. La situation ne s'améliore pas sous Nicolas. Mais il faut reconnaître qu'elle n'est pas beaucoup meilleure dans le reste de l'Europe, à en croire les témoignages, fort semblables dans les termes, de l'époque.

De 1837 à 1855, le nombre et l'effectif des gymnases restent à peu près constants. A la mort de Nicolas, il y a dans l'empire 74 gymnases, un par gouvernement, plus quelques-uns supplémentaires dans les deux capitales, et trois en Sibérie [27]. Ils ont 18 000 élèves, soit environ 240 par établissement : dimension modeste, celle d'un collège de petite ville [28].

Pourtant le gymnase n'est pas surpeuplé ; la difficulté, nous l'avons vu, serait plutôt de le remplir. Entre le niveau d'aspiration au savoir, la base sociale étroite de l'enseignement secondaire et les dimensions du gymnase, il n'y a pas de décalage. Il faut se représenter le gymnase tel qu'il est dans un petit chef-lieu de gouvernement, non pas comme un élément subordonné d'un milieu culturel développé, mais comme un îlot civilisateur dans un milieu inculte. A Kaluga, à Kostroma, à Vologda, le gymnase représente la culture européenne. Le personnel n'est pas nombreux. Le directeur et l'inspecteur (chargés de la discipline) sont des hommes d'autorité, des reflets de la caserne de Nicolas [29]. Un prêtre fait l'instruction religieuse. Une dizaine de professeurs occupent les chaires principales [30]. Ajoutons quelques professeurs auxiliaires, le médecin, l'économe, le comptable — inséparable de toute institution russe —, les surveillants de l'internat, cela fait en tout une vingtaine de personnes.

Quelle image se faire du professeur russe ? Herzen, en 1864, s'exprimait en ces termes :

> « Le corps des professeurs n'est pas en général composé de ces nababs de province, de ces ' princes russes ' habitués des eaux et des hôtels, ni même de personnes d'une origine trop aristocratique. Ce sont, pour la plupart, des fils de prêtres, classe très instruite, mais pauvre et démocratique ; par position, ce sont des petits employés qui ont préféré la science à la bureaucratie. Enfin quelques descendants de nobles et indigentes familles de province... Les professeurs des lycées, des gymnases et des écoles militaires étaient les pionniers obscurs, les sentinelles perdues d'une grande propagande humanitaire qui ne rapportait ni gloire ni renommée. Luttant contre la pauvreté, livrés sans contrôle à une administration brutale, cédant quelquefois de leur dignité personnelle, ils n'en prêchaient pas moins l'idée de l'indépendance et de la haine de l'arbitraire. Le corps enseignant a été, après la littérature, le second représentant de la conscience qui s'éveillait. » [31]

27. *Cf.* en annexe, p. 44, la liste des gymnases, tirée de *ŽMNP*, 1856, t. 90.
28. Sur les variations de l'effectif, *cf.* en annexe, p. 46, le tableau tiré de Knjazkov et Serbov, 1910, p. 144.
29. « La quintessence du temps de Nicolas se trouvait principalement dans l'Inspecteur et le Directeur. » Boborykin, 1929, p. 20.
30. Administrativement les professeurs sont divisés en deux catégories : *staršij* et *mladšij*, « senior » et « junior ».
31. Gercen, *Nouvelle phase de la littérature russe, 1864,* éd. AN, t. xviii, p. 154.

Une telle appréciation doit être discutée. Il est exact que l'origine sociale des professeurs est modeste. Leur recrutement jusque vers 1840 se faisait au petit bonheur, sans que leur qualification ait été établie. Mais à partir de 1840, les instituts pédagogiques commencent à former en assez grand nombre des maîtres jeunes et compétents [32]. Le centre le plus important — et le plus ancien — de formation des maîtres est l'Institut pédagogique principal établi à Saint-Pétersbourg depuis 1804 [33]. Réorganisé à maintes reprises, il avait formé le noyau de l'Université de Pétersbourg fondée en 1819. Il retrouva une existence indépendante en 1828. Il comportait trois années d'études, un programme encyclopédique, un régime d'internat strict et d'efforts intensifs [34]. Il recrutait principalement ses pensionnaires parmi les fils de prêtres. Plusieurs *popoviči* célèbres des années soixante, Dobroljubov en premier lieu, y furent pensionnaires. Il fut supprimé en 1859 et ce fut l'Université, mal outillée pour cette tâche, qui dut à sa place se charger de former des maîtres. En trente ans, l'Institut pédagogique principal et l'Université ont donné aux gymnases environ cinq cents professeurs [35]. Le niveau professionnel des maîtres ne cesse de s'améliorer. A la fin du règne, dans la circonscription scolaire de Pétersbourg, il y a une concurrence sévère autour des postes disponibles. Cela favorise la sélection. Mais là où Herzen trahit le grand seigneur qu'il est, c'est quand il mésestime la valeur sociale de la fonction de professeur.

On peut d'abord remarquer qu'il fait partie de la noblesse. Un professeur de gymnase « ancien » possède la IXe classe et le rang de conseiller titulaire. Son uniforme manifeste cette dignité. Le directeur accède à la VIe classe et est appelé « votre Excellence ». Ils dominent de haut le bas *činovničestvo* [36]. Leurs traitements ne sont pas élevés, de l'ordre de six cents roubles, ce qui est plusieurs fois ce que perçoit le gratte-papier du *Manteau* de Gogol'. Ils sont augmentés très sérieusement en 1859, et encore en 1863, doublant en moyenne [37]. Le professeur ne se situe pas dans la partie la plus basse d'une hiérarchie de traitements très ouverte. De plus, celui qui reçoit un salaire en espèces dans ce pays d'argent rare est avantagé. Au moment où l'on préparait l'augmentation des traitements en 1862, les services du ministère de l'Instruction publique avaient établi un certain nombre de budgets types [38]. On s'aperçoit que le professeur de gymnase est censé habiter une grande

32. LEJKINA-SVIRSKAJA, 1958, p. 90-93.
33. JOHNSON, 1950, p. 109-133. Sur la vie de l'Institut, SEMANOVSKIJ, 1961, p. 48-90.
34. Les cours de pédagogie sont peu suivis ou pas du tout. CGIAL, F. 733, op. 147, n° 616, p. 49-57.
35. 377 professeurs pour l'Institut pédagogique principal et 120 pour l'Université entre 1819 et 1853. LEJKINA-SVIRSKAJA, 1958, p. 93.
36. LEJKINA-SVIRSKAJA, *ibid*, p. 90.
37. *Cf.* le tableau établi par JOHNSON, 1950, p. 279. Roždestvenskij donne aussi les traitements des professeurs, ROŽDESTVENSKIJ, 1902, p. 202.
38. *ŽMNP,* 1862, t. 115.

maison, avec cave, grenier, remise, salon, bureau. Il possède tout un trousseau, un uniforme, un « vice-uniforme », deux manteaux et, pour être renouvelées chaque année, six chemises, dont deux en toile de Hollande. Le chapitre le plus étonnant est celui des domestiques. Il est servi par une cuisinière, une femme de ménage, une *njanka* pour les enfants. Le directeur de gymnase, qui gagne 2 500 roubles, peut gager, pour 173 roubles seulement, un laquais, une cuisinière, une servante, une *njanka* et une blanchisseuse. Même l'humble, très humble instituteur d'école populaire pourra louer, pour 35 roubles l'an, les services d'un domestique. Il gagne dix fois plus que son valet. C'est là qu'on mesure à quel point le sous-développement du pays peut être matériellement avantageux pour ceux qui vivent à l'européenne.

Moralement avantageux aussi, le prestige de l'intellectuel est grand, parce que l'intellectuel est rare[39]. On s'ennuie trop pour bannir des salons le professeur qui en fait l'ornement. Et cela durera jusqu'au temps de Tchekhov et de Sologub. Dans son roman *Obryv (Le ravin),* Gončarov en fait un personnage éminemment honorable, vivant dans son immense bibliothèque, un humaniste de province[40]. Il n'encourt jamais le mépris qui accable dans la France et l'Angleterre du XIXe siècle le pédant de collège. Herzen tire manifestement trop le professeur du côté des humiliés et des offensés. Et cela d'autant plus qu'il a l'autorité d'un représentant de l'Etat. Déjà sous Alexandre Ier, les parents d'Aksakov, bons gentilshommes pourtant, ne pesaient pas lourd devant les autorités du gymnase[41]. Leur enfant, malade, ne leur appartient plus, et il fallut toutes les larmes de la mère et de hasardeuses démarches administratives pour fléchir un inspecteur obstiné et l'arracher à l'infirmerie. Dans son établissement, le professeur est roi. Un pédagogue, dans ses souvenirs, regrette à cet égard le temps de Nicolas :

> « Il est parfaitement indépendant, nullement gêné, comme plus tard, par les circulaires et les instructions ministérielles. Aux yeux des élèves, la personne du maître est sainte. S'il arrive que l'on commette des espiègleries dans les petites classes, jamais dans les grandes, l'on supporte patiemment les pires professeurs. Quand ils

39. *Cf.* les pénétrantes remarques de PIPES, 1962, p. 47-62.
40. Pour reprendre l'expression de Mazon : « Le représentant d'une génération romantique à son déclin. » MAZON, 1914, p. 223. Encore à la fin du siècle, le sinistre Peredonov, professeur au gymnase d'une ville provinciale, vit au large, jouit d'un rang élevé, constitue un beau parti. SOLOGOUB, 1949. Le roman a été composé entre 1892 et 1902.
41. AKSAKOV, 1958, p. 56. L'inspecteur argumente : « Si le gouvernement dépensait de l'argent pour le traitement des fonctionnaires et des professeurs et l'entretien des boursiers, ce n'était pas pour libérer ceux-ci avant la fin de leurs études et se priver des services qu'ils pouvaient rendre dans l'enseignement. » D'ailleurs ce serait « avouer l'insuffisance de l'aide médicale et des soins accordés aux malades ».

sont aimés, ils sont vénérés, et ils ont une influence personnelle immense. »[42]

Tel est le prestige complexe du professeur : il incarne la culture, il appartient à la « société » de la ville, il symbolise l'Etat dans sa fonction la plus noble ; il est l'homme des lumières, le *Prosvetitel'*, délégué local du Civilisateur suprême.

C'est bien parce que le professeur est au-dessus de la société tout en en faisant partie, que le gymnase peut jouer le rôle qui lui a été fixé par le groupement : ôter à l'enfant ses caractéristiques sociales, en faire un produit standardisé d'une éducation d'Etat, pour l'Etat. Les historiens soviétiques soulignent la prédominance des classes privilégiées dans la composition sociale du corps des élèves[43]. Les enfants de nobles et des fonctionnaires jouissant de la noblesse personnelle composent plus des deux tiers de l'effectif[44]. Mais il ne faudrait pas y voir le réflexe d'une classe qui se ferme, ni même une politique délibérée du gouvernement. Le développement de l'instruction se faisant par en haut, il était normal que seules les classes privilégiées eussent une idée précise des avantages qu'elle pouvait procurer.

Le gymnase et l'école de district scolarisent convenablement la mince couche européanisée de la Russie, puisque pour la Russie des profondeurs il n'y a pas d'école. La barrière qu'il faut franchir pour pénétrer dans l'école de type européen est de nature sociologique ou plutôt culturelle. C'est pourquoi l'Etat juge inutile d'y joindre une barrière économique. Le gymnase est quasiment gratuit. Pour la plupart d'entre eux, les droits d'inscription sont de cinq roubles[45]. « Tout le cycle d'enseignement de sept ans, y compris le droit d'entrée à l'Université sans examen, ne coûtait que trente-cinq roubles. »[46] Les tarifs sont

42. OSTROGORSKIJ, 1895, p. 39. Ces souvenirs sont parmi les plus précieux pour notre propos.
43. GANELIN, 1954.
44. *Cf.* en annexe le tableau établi par MILJUKOV, 1899, p. 348. Voici par exemple pour le gymnase de Simbirsk la composition sociale en 1858.

Enfants de nobles héréditaires	80
de fonctionnaires	77
de marchands et de *meščane*	66
de membres du clergé	5
d'étrangers	6
Total	234

(CGIAL, F. 733, op. 47, 1858, n° 213, l. 1.)

45. Evolution des droits d'inscription (en roubles)

	1845	*1848*	*1852*
Gymnases des deux capitales	20	20	50
de Kiev	17	17	20
d'Odessa et Taganrog	7	15	10-15
de Sibérie	5	10	5
Autres gymnases	5	5	5

Cf. ALEŠINCEV, 1912, p. 144, ROŽDESTVENSKIJ, 1902, p. 290. Les tarifs pratiqués au même moment par les écoles privées sont très supérieurs : de 100 à 200 r pour l'externat. CGIAL, F. 733, op. II, n° 671, 1861.
46. BOBORYKIN, 1929, p. 16.

légèrement relevés après 1848, sans devenir pour autant un obstacle sérieux.

Il subsiste donc à tout moment une proportion notable d'enfants de marchands, d'artisans, de prêtres. Elle croît régulièrement pendant tout le siècle et dépasse les 50 % peu après 1880. Cette évolution de la composition sociale n'aurait d'intérêt que si l'enfant noble se conduisait et était encouragé à se conduire en noble. Alors vraiment le gymnase russe, comme le lycée français, aurait été une école de classe. Mais il n'en est rien. Sitôt qu'il a revêtu l'uniforme, l'enfant est déclassé. Qui est-il ? « Le titulaire d'une casquette et d'une tunique à col rouge. »[47] La mère d'Aksakov, lorsqu'elle revoit son enfant tondu, le cou entouré d'une cravate de drap, ne le reconnaît pas[48]. L'Etat avait établi son système scolaire sur le principe « à chacun sa condition ». Et voici que l'école abolit les conditions. En les confondant toutes devant la majesté de l'Etat, le gymnase nivèle, et prépare à une sorte de démocratie. Parlant de son gymnase de Nižnij, Boborykin peut écrire :

> « Impossible d'imaginer un établissement plus accessible, plus démocratique. Il l'était par lui-même et par la composition des élèves. A l'exception des serfs, il admettait des représentants de toutes les classes viles (*podatnye soslovija*). Mais les nobles et les fonctionnaires importants ne méprisaient pas le gymnase pour leurs enfants, et dans notre classe il y avait un bon tiers de fils de barines, quelques-unes des meilleures maisons de notre ville : et, à côté d'eux, des enfants de marchands, des petits bureaucrates, de *meščane*, d'affranchis. Un de mes condisciples était le fils du portier d'un de mes camarades. Bien entendu, ils se tutoyaient... Cette bigarrure (*raznososlovnyj*) de la société de mes camarades faisait que les enfants ne s'enfermaient pas dans les préjugés de caste, connaissaient les vies des autres, fréquentaient leurs camarades d'origine simple (*prostogo zvanja*). »[49]

Le statut de 1828 avait voulu que l'école soit *soslovnaja*, se moule sur les classes de la société russe. Mais, comme seule réalisée, l'école secondaire isole encore davantage de la Russie la fraction européanisée de la population ; et parce qu'elle est d'Etat, elle isole l'enfant de son milieu originaire. Double déracinement dont il faut examiner les effets éducatifs.

3. L'EXPÉRIENCE DU COLLÈGE

Il n'est pas douteux que le gymnase de Nicolas ne représente un effort vers une éducation plus moderne, et dans les conditions d'arrié-

47. PIROGOV, 1868, p. 25.
48. AKSAKOV, 1958, ch. I.
49. BORORYKIN, 1929, p. 16, p. 18.

ration russes, qu'il ne soit une réalisation remarquable. Apparemment, il est comparable trait pour trait au lycée français et allemand. Les programmes sont les mêmes ; tant d'heures de latin, d'histoire, de grammaire, de mathématiques, de physique, etc.[50]. L'enseignement, hormis quelques heures d'instruction religieuse, a un contenu rationnel et même rationaliste. L'enfant y trouve de quoi développer son esprit. Or, dans un nombre étonnant de cas, l'enfant quitte le gymnase avec amertume et ressentiment. « Je me souviens de l'école, dit Saltykov-Ščedrin, mais c'est bien morose et dépourvue d'agrément qu'elle ressuscite dans mon esprit... Le pédantisme et la contrainte y régnaient seuls. »[51] C'est dans la vie une étape sombre. Que s'est-il passé ? La famille russe est pleine de chaleur, et, depuis toujours, l'enfant était élevé à la maison. Devait-il partir, c'était accompagné d'un délégué de la famille, « gouverneur » ou *djadka* comme le Savelič de *La fille du capitaine*. Point de rupture. L'obligation du gymnase imposa cette rupture. Pour tous les enfants dont les parents n'habitent pas le chef-lieu du gouvernement, le gymnase c'est l'internat, c'est un arrachement brutal et précoce. Nulle part il n'est senti plus dramatiquement que dans les mémoires d'Aksakov[52]. Ses parents, baignés de larmes, l'accompagnent à la ville, le recommandent à tous ; puis ils vont supplier à la cathédrale les thaumaturges German et Gurij qui protègent Kazan'. L'enfant, pendant ce temps, contemple l'énorme bâtiment blanc qui domine toute la ville et qui lui fait peur : « Il me sembla que c'était un château enchanté... une prison où je serais détenu. » Puis c'est la séparation, la mère qui s'évanouit, l'enfant qui perd le goût de vivre, qui manque de mourir : « Je devins rêveur, mélancolique, puis la mélancolie se transforma en angoisses périodiques et finalement en maladie. » Le cas d'Aksakov est ancien : de son temps, les parents n'étaient pas encore résignés. La dramatisation de cet épisode traduit, sur le plan du vécu, les résistances de la noblesse à confier au gouvernement ses enfants. Plus tard, la séparation fut acceptée tacitement comme une chose inévitable, mais le traumatisme demeura. Il ne pouvait être surmonté que si l'enfant trouvait dans le lycée un milieu assez humain pour compenser ce qu'il avait perdu. Il trouve un milieu froid, artificiel, vide.

On penserait d'abord à incriminer les conditions matérielles et la pédagogie. Mais ce sont les points, justement, qui sont l'objet de tous

50. Selon le statut de 1828, les programmes des « gymnases de gouvernement » comportent les enseignements suivants : 1) catéchisme, histoire sainte et ecclésiastique ; 2) grammaire russe, littérature *(slovestnost')*, logique ; 3) latin, allemand, français ; 4) mathématiques « jusqu'aux sections coniques incluses » ; 5) géographie et statistique ; 6) histoire ; 7) physique ; 8) calligraphie, dessin linéaire, dessin d'imitation. Dans les « gymnases près les Universités » un certain nombre d'heures sont données au grec qui, dans les autres, sont données aux mathématiques. ROŽDESTVENSKIJ, p. 209.

51. SALTYKOV-ŠČEDRIN, éd. Marks, III, p. 228 : *Esquisses provinciales, L'ennui*, cit. SANINE, 1955, p. 27.

52. AKSAKOV, 1958, ch. I.

les soins du législateur. Sont-ils si inférieurs aux modèles occidentaux ?

La vie n'est pas dure matériellement. La situation varie selon les établissements, elle est meilleure dans le premier gymnase de Pétersbourg, considéré comme chic, que dans le troisième, peuplé de boursiers[53]. Dans celui de Vologda, au fin fond de la province, la nourriture est convenable[54]. Lait et pain noir au petit déjeuner, soupe à 11 heures, et au déjeuner un repas de trois plats : soupe aux choux, bœuf, *kaša* à volonté. Le soir, un verre de *sbiten'* avec un petit pain. C'est frugal, mais on n'a pas faim. Dans ce gymnase l'on n'est pas exigeant sur l'uniforme : la casquette et la tunique à col rouge suffisent. A l'avènement du nouvel empereur, les élèves touchent un uniforme plus seyant, ce qui les fait bien augurer du nouveau règne. Le dortoir se trouve au rez-de-chaussée, humide, bas de plafond et puant les tinettes. Le réfectoire sert aussi de salle de jeux et, l'hiver, tient lieu de cour de récréation. Mais dans l'ensemble, les garçons se portent bien et ont bonne allure. La Russie est un pays rude et, relativement, le gymnase peut être considéré comme confortable. Le fait est que ce n'est pas de cela que se plaignent les élèves.

Les méthodes pédagogiques sont incontestablement mauvaises. Beaucoup de bons esprits leur attribuent de lourdes responsabilités dans la déformation des esprits et des caractères[55]. Elles s'appuient sur l'obéissance passive, sur le « par cœur ». Presque partout, le cours est dicté, les devoirs simplement distribués aux élèves, sans préparation antérieure, sans corrigé. Il n'y a jamais de dialogue entre les maîtres et l'élève[56].

> « Les connaissances nous arrivaient pas bribes, incohérentes, presque vides de sens. Elles n'étaient pas assimilées, mais apprises par cœur, mécaniquement, et leur sort ultérieur dépendait de la mémoire bonne ou mauvaise de l'élève. »[57]

Les manuels sont vieillis, incolores. L'histoire se réduit à une sèche nomenclature. La littérature n'est pas expliquée sur les œuvres vivantes. A l'exception de quelques poèmes de Pouchkine, le lycéen n'est pas censé connaître la littérature de son temps et de son pays[58]. Les maîtres qui inspirent la génération de leurs parents, Schiller, Dickens, Lermontov,

53. Ostrogorskij, 1895, p. 10-12.
54. Panteleev, 1958, p. 494-515 : « Souvenir du gymnase des années cinquante. » Trois morts seulement en sept ans parmi les pensionnaires.
55. En premier lieu Pirogov et Usinskij. Voir la liste abondante des articles pédagogiques publiés dans le *Sovremennik,* recensés par Evgen'ev-Maksimov, Tizengauzen, 1939, p. 244. Articles de Pypin, Slepcov, Eliseev, etc.
56. Description du régime pédagogique des gymnases dans Ganelin, 1954, p. 123-149.
57. Saltykov-Ščedrin, cité par Sanine, 1955, p. 31. Un autre témoin, Jahontov, écrit : « Nos études avaient un caractère encyclopédique. On voulait nous apprendre absolument tout, mais comme le temps manquait malheureusement pour cela, on nous faisait saisir le dessus des choses au détriment de la profondeur. » *Ibid.*
58. Ganelin, *ibid.,* et Panteleev, *ibid.*

Gogol', leur sont interdits[59]. A la place, la fade poésie russe du XVIIIe siècle et, surtout, des grammaires et des traités de rhétorique[60].

Mais n'est-ce pas la pédagogie de tous les lycées d'Europe à cette époque ? Son but était de développer l'art de penser et de parler, et non de fournir un savoir pratique. Pendant les vingt-deux ou vingt-quatre heures de cours hebdomadaires, par le latin, les mathématiques, la rhétorique, l'enfant fait l'apprentissage du raisonnement abstrait. Il y a cependant une différence. La pédagogie européenne tient par beaucoup de liens à la culture européenne. Elle n'est pas si abstraite qu'elle le paraît. Elle l'est tout à fait en Russie, où elle a été importée. L'école déclassait l'enfant. Voici qu'elle le dénationalise. Elle lui apprend en termes généraux à ignorer les problèmes concrets de son pays.

A l'âge du collège, on ne souffre pas du milieu matériel et culturel. Mais cruellement — tous les mémoires l'attestent — du milieu humain. Car les murs du gymnase, s'ils isolent l'enfant, ne le protègent pas de ce que la société russe a de pire : la dureté, l'inhumanité des relations humaines. La Russie est absente de l'école, sauf sous l'aspect le plus négatif.

Si même le professeur a reçu une formation adéquate, le milieu ambiant a souvent tôt fait de le dégrader. A Tobol'sk,

> « les professeurs étaient pour la plupart des simples d'esprit. Quelques-uns s'adonnaient au culte de Vénus, d'autres au culte de Bacchus, et plusieurs pratiquaient les deux à la fois ; aucune communauté d'intérêt intellectuel n'existait entre eux, et aucune ne les rattachait aux élèves »[61].

A Vologda, le professeur de mathématiques ne comprend pas ses formules. Le professeur de français se moque de son cours, et emploie l'heure à bavarder avec ses élèves. Celui d'allemand est ivrogne et abruti. Les prêtres qui font l'instruction religieuse réjouissent par leur ignorance et leur simplicité. L'ancien professeur de grec se charge des sciences naturelles : il lit le manuel sans se soucier de comprendre ni d'être compris. C'est un tel supplice d'ennui que les élèves préfèrent encore

59. « Aucune bibliothèque n'était prévue pour les élèves, ni même aucun auteur russe, ni Pouchkine, ni Žukovskij, ni Gogol' ; le premier livre qui me soit tombé sous la main, et encore en 5e classe, était Tredjakovskij. » OSTROGORSKIJ, 1895, p. 14-15. Se rapporte à l'année 1855.

60. Le manuel de rhétorique est celui de Košanskij : tropes, catachrèses, etc. Pypin en fait une sévère critique dans *ŽMNP*, juin 1862. Celui de Kajdanov est lamentable. Il est remplacé par celui de Lorenc en 1850, plus sérieux mais bien ennuyeux. GANELIN, *ibid.*, et PANTELEEV, *ibid.*

61. HUDJAKOV, 1882, p. 20. Les souvenirs de Hudjakov sont un document psychologique exceptionnel sur un *intelligent* des années soixante, mêlé à l'attentat de Karakozov et déporté en Sibérie où il devient lentement fou. Le gymnase de Tobol'sk n'était pas le pire. N'avait-il pas pour inspecteur le célèbre Eršov, l'auteur du *Petit cheval bossu* ? Pourtant, le professeur de mathématiques ne « comprenait pas lui-même les formules scientifiques » et la leçon d'histoire et de géographie se réduit à « une sèche nomenclature ». *Ibid.*, p. 15.

faire l'exercice et parader, sous les ordres d'un sous-officier de la garnison. L'enseignement de la jurisprudence consiste à découper le manuel de Roždestvenskij (résumé en quatre cents pages des lois en vigueur) en un certain nombre de tranches à apprendre par cœur [62]. Première expérience de l'inculture russe. Mais voici les coups : les verges chaque semaine, la mise à genoux, au coin, au cachot... Les corrections étaient administrées le samedi, après la prière du soir ; l'inspecteur lisait solennellement la liste des condamnés, dont il spécifiait le forfait : « Un tel pour sa paresse, un tel pour insolence » [63], et les coupables allaient s'étendre sur le banc du supplice. Dans un gymnase de Moscou, pour un innocent chahut, toute la classe est punie, dix élèves sont fouettés, quinze jetés au cachot [64].

Les châtiments physiques ne font pas partie du système officiel de l'éducation. Ils entrent clandestinement dans un milieu qui les accueille sans résistance [65]. Ils sont une contamination inévitable de la barbarie ambiante. Le monde du gymnase est glacial, les relations humaines sont chargées de haine et de mépris. « Jamais les professeurs n'offraient la main aux élèves ; en revanche, il leur arrivait souvent de les battre. » Les élèves s'insultent d'une classe à l'autre, se battent sauvagement, se dégradent.

> « Cette lutte engendrée par la brutalité de tout le système d'enseignement refrénait moins l'arbitraire des professeurs... qu'elle n'habituait les élèves à toutes sortes de vilenies, depuis l'espionnage jusqu'à la grossièreté la plus honteuse... Faire des turpitudes, tromper le surveillant, le professeur, l'inspecteur, passait aux yeux de tout le gymnase pour une chose non seulement excusable, mais glorieuse. » [66]

Le désarroi moral va fréquemment jusqu'à la perversion [67].

Nous touchons là le défaut le plus grave du gymnase russe. Il est incapable d'encadrer la vie. Sur le plan éducatif, c'est la conséquence de sa situation par rapport à l'Etat et la société. Artificiel, sans lien organique avec le monde qui l'entoure, il est un milieu mort. L'enfant est endoctriné, encaserné, et en même temps il est abandonné à lui-même. C'est le contraire de l'école anglaise aristocratique, pleinement

62. PANTELEEV, 1958, p. 494-515.
63. SALTYKOV-ŠČEDRIN, *Makašin*, cité par SANINE, 1955, p. 27.
64. SALIAS, 1898, p. 98-101.
65. « On ne nous fouettait dans notre gymnase (à Nižnij) que jusqu'à la quatrième classe. Et la majorité d'entre nous ne connut jamais ces exécutions. » BOBORYKIN, 1929, p. 20. « Les punitions corporelles y étaient en usage (au gymnase de Tobol'sk) et même les verges, mais assez rarement. » HUDJAKOV, 1882, p. 15.
66. HUDJAKOV, *ibid*, p. 17.
67. « Dès le premier jour, j'appris des choses que j'eusse préféré n'avoir jamais sues. » PANTELEEV, 1958, p. 515. Dans le troisième gymnase de Pétersbourg, peuplé d'orphelins, de boursiers et d'enfants pauvres, « la grossièreté, les mœurs de l'internat sont horribles », OSTROGORSKIJ, 1895, p. 11-12.

reconnue par les parents, qui en sont eux-mêmes le produit, intégrée dans le style de vie, pièce indispensable d'un processus de socialisation. La répression, en Angleterre, fait partie du système d'éducation, en Russie, elle s'y substitue. « Pouvions-nous appeler cet amas de connaissances qu'on nous enfournait une éducation (*obrazovanie*) ? Les connaissances étaient formelles... s'envolant après l'examen. »[68] Et une fois le cours terminé, vers 2 heures de l'après-midi, l'enfant est livré à lui-même[69]. Il n'est plus tenu qu'à observer, ou à faire semblant d'observer, les règles d'une discipline qu'il n'intériorise jamais.

> « Malgré ce régime de caserne, dicté par des règles peu nombreuses, visant le respect extérieur de la discipline et de l'ordre, la personne de l'enfant, et plus encore celle de l'adolescent dans les grandes classes, avait une liberté complète de faire de soi-même ce qu'il voulait et de s'occuper à sa guise. »[70]

Peu de devoirs et de leçons. La bibliothèque de classe et vide. Ni jeu, ni sortie, ni sport. Point d'échange avec le monde adulte. Nous pensons que c'est dans ce vide et cette solitude que peuvent se produire les réactions les plus significatives de l'enfant : réaction de défense, de révolte ; quête d'une solidarité substitutive dans les bandes de camarades ; formation d'une culture à part : ces attitudes seront reproduites et conservées dans le milieu de l'intelligentsia. L'adolescent russe a de quoi se révolter, et il a la liberté de le faire. Le gymnase engendre une sorte de pré-intelligentsia. Mais il n'y a pas que le gymnase : les autres types d'écoles portent au point extrême les mêmes contradictions.

4. AUTRES ÉCOLES

L'école de cadets avait été la première école de type européen en Russie. Depuis sa fondation en 1731, tout ce qui comptait en Russie était passé par l'enseignement militaire. Sous Nicolas, plus personne[71].

> « La *nikolaevščina* régnait dans l'Etat et dans la société russe, mais pourtant, chez nous, les gamins, il n'y avait aucune passion pour la chose militaire. De nous tous — dans notre classe il y avait trente élèves — deux seulement se destinèrent à être *junker*. »[72]

68. OSTROGORSKIJ, 1895, p. 37-38.
69. Selon le statut de 1828, il est prévu 24 heures de cours hebdomadaires dans les petites classes, 22 heures dans les grandes. Cela est reçu par beaucoup comme un surmenage. Pisarev, dans *L'Ecole et la Vie,* demande une réduction des horaires à 18 heures dans les petites classes et 19 heures dans les grandes. *Cf.* COQUART, 1946, p. 325. Cependant comme les gymnases pratiquent la journée continue, avec un bref déjeuner à 10 heures, les élèves sont libres de bonne heure.
70. OSTROGORSKIJ, 1895, p. 37-38.
71. *Cf.* RAEFF, 1962 et MALIA, 1962.
72. BOBORYKIN, 1929, p. 17.

Le règne de l'empereur paradomane marque le déclin de la vocation militaire. Ce paradoxe est, lui aussi, une suite de l'échec décembriste. Ecartée des affaires, la noblesse voit se rompre l'harmonie qui s'était établie au siècle précédent entre le Service et son idéal de liberté. Le service est devenu incompatible avec l'épanouissement personnel. Le service civil est un moindre mal, parce qu'il offre plus d'échappatoires que le service militaire. Le gymnase sauvegarde quelques chances d'autonomie.

Mais ce désintérêt de la société voue le *korpus* à la prussianisation la plus complète. Une instruction officielle publiée en 1849 ne laisse aucun doute [73] : la tâche essentielle des professeurs y est de bien mettre dans la tête de leurs élèves une indifférence complète aux idées et aux événements de l'Occident, de les persuader « que beaucoup de choses avantageuses en Europe sont impraticables chez nous », de les dresser à payer le souverain de ses bienfaits par « une vie honnête, un service honnête, une mort honnête ». Les écoles de cadets sont ainsi pour la noblesse russe une évocation de son cauchemar : la perte de sa sécurité personnelle, la violation des droits et de la dignité, qu'elle a eu tant de peine à acquérir et dont Paul Ier et Arakčeev ont montré la précarité.

Kropotkin a laissé un témoignage étonnant de la plus privilégiée de ces écoles : le Corps des pages. Tous les genres de brimades y sont encouragés. Les nouveaux sont les esclaves de leurs camarades plus âgés, doivent faire « le cirque », courir en rond, poussés à grands coups de fouet. « En général, le cirque se terminait à l'orientale, d'une manière abominable. » Les châtiments physiques prennent au *Korpus* une allure sadique.

> « Pour une cigarette, on administrait parfois mille coups de verge en présence de tout le corps. Le médecin se tenait auprès du jeune garçon que l'on torturait et n'ordonnait de suspendre la punition que lorsqu'il constatait que le pouls allait cesser de battre. La victime sans connaissance était emmenée à l'infirmerie. » [74]

Le Corps des pages est un des établissements les plus fermés de l'empire. Mais le privilège se marque uniquement à la meilleure qualité de l'enseignement — de bons savants y enseignent [75] —, car pour le reste, c'est la même misère, la même tristesse. Il en est ainsi de cette pépinière de diplomates et de ministres qu'était le lycée Alexandre, installé

73. *Nastavlenie dlja obrazovanija vospitannikov voenno-učebnyh zavedenij,* Saint-Pétersbourg, 1849, p. 112. Elle est rédigée par Rostovcev, directeur des établissements d'enseignement militaire. Cité par LEJKINA-SVIRSKAJA, 1958, p. 94-95.
74. KROPOTKIN, 1933, p. 43, p. 56.
75. Mathématiciens de premier ordre et grammairiens excellents au dire de Kropotkin, *ibid.*

magnifiquement dans l'aile même du palais de Carskoe Selo. Le jeune Ščedrin n'est pas séduit :

> « Mon air triste et morne n'exprimait pas, vis-à-vis des autorités, une confiance insouciante et n'annonçait pas un brillant chevalier. je ne savais ni claquer les talons comme le jouvenceau qui porte déjà en lui l'embryon d'un gentilhomme de la chambre, ni franchir d'un bond le réfectoire à l'appel d'un supérieur dans cette posture mentale qui est, chez l'enfant, comme la première marque de sa bonne éducation et de sa volonté d'obéir. » [76]

Même la meilleure école n'est pas une entrée joyeuse dans la vie [77]. Que dire alors du petit séminaire, aussi sauvage que le *Korpus*, aussi ennuyeux et plus ignare que le gymnase ? Le petit séminaire, la *bursa* est, par prédestination, l'école secondaire de toute la caste des prêtres. Au temps de Nicolas, ce sont des bagnes. Toutes les frustrations de la vie de collège sont dramatisées. Nous avons le témoignage de Pomjalovskij, qui, avant de mourir tout jeune d'alcoolisme, laissa une confession dont l'intensité de haine n'a pas d'égale en Europe. Ecoutons-le :

> « L'élève, entrant à l'école et quittant le toit familial, sentait bientôt qu'on lui faisait quelque chose qu'il n'avait jamais éprouvé auparavant, comme si l'on interposait devant ses yeux un filet après un autre, indéfiniment, et qu'on l'empêchait de voir les choses clairement, que sa tête cessait de fonctionner avec curiosité et hardiesse et était devenue semblable à quelque agrégat chimique. Il suffit d'appuyer sur un ressort et la bouche s'ouvre, émet des sons, mais dans ses sons, c'est étrange, il n'y a pas de pensée comme auparavant. » [78]

C'est une description presque clinique de la crise de l'enfant arraché de bonne heure à la chaleur coutumière de la famille sacerdotale et jeté dans un monde barbare.

Comme au Moyen Age, les classes d'âge ne sont pas séparées. On rencontre, pêle-mêle, des gaillards de vingt-quatre ans et des enfants

76. Sanine, 1955, p. 29.
77. Il y a trois autres lycées (*licej*) : celui du Prince Demidov, à Jaroslavl', sorte d'école technique de droit ; celui du Prince Bezborodko, à Nežin. Ces deux lycées sont peu prospères. Le lycée Richelieu à Odessa est par contre un établissement réputé. Il formera le noyau de l'université fondée en 1866. Le lycée n'est pas en principe une école moyenne, mais supérieure (*vyščaja*). En fait il dispense un enseignement inférieur à celui de l'Université et par sa discipline intérieure et les méthodes d'enseignement il faut le ranger, en dépit du classement administratif, parmi les écoles secondaires.
78. Pomjalovskij, 1949, p. 242. Les *Očerki bursy* sont parus en 1862. Pisarev en fit la recension et, comparant le sort des bagnards à celui des *bursaki*, il conclut à l'avantage des premiers. Coquart, 1946, p. 308.

de douze ans[79]. Pour les mater, il y a tout un arsenal de supplices : verges, fouet, agenouillement sur une planche coupante, coups de règles sur les paumes, station avec une grosse pierre portée à bout de bras, sel saupoudré sur les zébrures des coups de fouet, etc.[80]. Comme les bagnes et les bataillons disciplinaires, le monde fermé de la *bursa* est coupé en deux par la haine mutuelle qui oppose le camp des autorités au camp des élèves. Ceux-ci forment un compagnonnage (un *tovaričestvo*) qui mène la vie dure aux maîtres et aux surveillants, impose sa loi aux nouveaux arrivants, leur lègue les bonnes méthodes de résistance.

> « Rouler le compagnonnage était un crime ; rouler l'autorité un exploit et une bonne action. Il arrivait qu'on fustigeât un innocent, mais il était très rare que celui-ci donnât le coupable. Reconnaître de bon gré sa faute était tenu par les élèves pour une lâcheté et une ignominie. Au contraire, celui qui mentait le plus insolemment, qui se couvrait effrontément, embrouillait l'affaire avec maestria, jurait ses grands dieux, celui-là occupait une place élevée dans la hiérarchie de la *bursa.* »[81]

Plus encore qu'au gymnase, la solidarité des camarades se présente comme un refuge indispensable : une contre-société pour se défendre d'une société étouffante[82].

Le petit séminaire n'a pas la justification d'un enseignement moderne et rationnel. Bien que les programmes ne soient pas éloignés de ceux du gymnase, l'accent mis sur l'instruction religieuse, l'atmosphère cléricale, l'infériorité des méthodes en font, au moins aux yeux de l'élève révolté, un milieu entièrement négatif. La révolte du séminariste sera plus absolue que celle du collégien[83]. Dans la génération de 1860, l'ancien *bursak* abonde. Il en est le type le plus pur. Celui-là vraiment a les titres d'humilié et d'offensé. Ces fils de prêtres généralisent facilement leur révolte libertaire en révolte contre Dieu. Comme des moines luthériens, ils ont une ardeur schismatique. Ces enfants pieux sont tout prêts à investir leur énergie religieuse, détournée par la *bursa*, dans d'autres croyances. Pisarev, à propos du récit de Pomjalovskij, opinait

79. POMJALOVSKIJ, 1949, p. 214.
80. POMJALOVSKIJ, *ibid*, p. 221.
81. *Ibid.*, p. 230.
82. Le témoignage de Pomjalovskij est corroboré par celui de KRASNOPEROV, 1929, p. 40-45. Krasnoperov insiste surtout sur l'ivrognerie et les mauvaises mœurs de l'internat (qui ne sont pas oubliées par Pomjalovskij). Même atmosphère de bataillon disciplinaire.
83. Dans son roman *Obryv* (ch. XIII, 2e partie), Gončarov fait dire à son héros, le nihiliste Volhov : « Des séminaristes, on les tient dans l'obscurité, on nourrit leur esprit de charogne et en plus on les fustige impitoyablement. Les plus fougueux sont les plus jeunes, ceux-là on ne les nourrit plus du tout, on les fustige seulement ; avides de nouveauté, ils brûlent de toutes leurs forces, s'échappent de l'obscurité vers la lumière. »

que le mal fondamental de la *bursa* était de donner un enseignement religieux, incompatible avec la science et l'esprit du siècle, et que, par conséquent, il ne servirait à rien d'améliorer les menus, d'aérer les dortoirs et de supprimer les verges [84]. Pourtant, lorsque ces améliorations furent introduites, vers 1870, les séminaires cessèrent de produire des révoltés et des révolutionnaires [85]. Mais jusque-là, ces étranges établissement fonctionnent comme des inverseurs des valeurs religieuses, comme des pépinières d'athées croyants. Il est caractéristique que le mot *intelligentsia* [86] fasse partie, semble-t-il, de l'argot de séminariste [87].

5. L'ÉCOLE ET L'INTELLIGENTSIA

Un jeune homme, ancien étudiant, impliqué dans le complot de Karakozov, déporté à l'extrémité nord-est de la Sibérie, porte en tête de sa confession cette accusation :

> « Avez-vous vu, dans les établissements publics et privés, ces foules de pensionnaires au visage pâle et jaune, à l'intelligence émoussée, au système nerveux détraqué depuis l'enfance ? Demandez-leur où ils ont appris à mentir, à tromper, à dire des paroles vides de sens, à considérer l'honneur comme un luxe inutile ? Ils vous répondront que c'est chez leur instituteur, à l'école... Une amère destinée est échue en partage à notre génération (je parle de la mienne) : elle a bu jusqu'à la lie la coupe empoisonnée de cette éducation. » [88]

L'école est-elle vraiment responsable ? Fondée pour socialiser l'enfant, l'a-t-elle vraiment rendu inapte à la vie en société ?

Il est, d'abord, facile de répondre qu'il est loin d'en être toujours ainsi. Chaque année, plusieurs milliers de jeunes gens revêtissent, heureux et satisfaits, l'uniforme de fonctionnaire ou d'officier, et rendent grâce à l'école qui les a formés. Elle leur laisse, en somme, de bons

84. Dans son article : « Etre perdus et êtres de perdition », *cf.* COQUART, 1946, p. 310.
85. Certains regrettèrent le vieux temps, comme ce prêtre qui se confiait à Wallace : « J'ai été fouetté bien souvent, je ne pense pas en être devenu pire. Et bien que je n'aie jamais entendu parler de cette science pédagogique dont ils parlent tant maintenant, je lirai encore une page de latin avec le plus fort d'entre eux... Aujourd'hui les professeurs parlent beaucoup humanisme et les élèves croiraient qu'un crime a été commis contre la dignité humaine si l'un d'eux était fouetté... » WALLACE, 1961, p. 372.
86. MALIA, 1962, p. 18.
87. La question de l'enseignement féminin trouve son cadre dans une étude du mouvement féministe. Pour l'enseignement privé, le roman publié dans le *Sovremennik* de MIHAJLOV-SELLER, 1864, fait revivre une des nombreuses pensions allemandes de Pétersbourg, avec les mêmes traits que la pension de Nicolas Nickleby. Rien d'originalement russe dans cette variante de la pension européenne. *Cf.* aussi EVGEN'EV-MAKSIMOV, 1939, p. 243.
88. HUDJAKOV, 1882, p. 2.

souvenirs [89]. Ils ont été assez forts pour en retirer le fruit sans trop de dommage, ou trop faibles pour s'être rebellés. Ils prennent sans mal leur place dans le monde adulte. C'est, n'en doutons pas, la majorité.

Mais il y a la minorité qui a refusé ou n'a pas pu s'intégrer normalement — sommaire définition de l'intelligentsia — et qui attribue avec régularité et parfois monotonie un rôle de premier plan à l'école dans la genèse de leur personnalité [90].

Sans doute la racine de ce comportement est-elle plus ancienne, et plonge dans l'enfance. Mais l'école a pu révéler certaines potentialités, et rendre plus probable une certaine direction dans le développement du caractère. Le problème avait été aperçu en Russie dès le lendemain de la guerre de Crimée. Pirogov, dans son retentissant article « Les questions de la vie », fut le premier à en rendre compte [91]. L'éducation, exposait-il, n'est féconde que si elle s'harmonise avec le tempérament de l'enfant et si les bases de la société sont conformes à la direction imprimée par l'éducation. Or, l'école russe prétend couler toutes les âmes dans un moule uniforme et rigide. Elle impose le conformisme. « Etudiez, obéissez, écoutez, allez régulièrement en classe, conduisez-vous décemment et répondez bien aux examens ; sans cela vous ne serez bons à rien. » [92] Elle étouffe la personnalité. Grandir, c'est passer d'un uniforme à un autre ; le simple changement dans la couleur du col indique que vous êtes un homme, *činovnik* ou officier, ou encore un enfant, un collégien. Les produits d'une telle école n'ont pas la force d'affronter la vie.

> « Vous tentez d'engager la lutte et vous vous convainquez que vous ne savez pas la conduire sans animosité, que vous ne savez pas aimer impartialement la chose contre laquelle vous luttez, que vous ne savez pas apprécier suffisamment ce que vous voulez vaincre. » [93]

Rébellion infantile et donc impuissante, mais c'est l'école qui porte la faute de cette immaturité. Comme aussi de la rébellion. Car, au sortir de l'école, l'adolescent découvre un monde qui ne correspond pas à ce qu'on lui a promis. Notre éducation, pense Pirogov, est chrétienne alors que la société ne l'est pas. « Nous voyons une tendance matérialiste et à peu près mercantile, fortement prononcée, ayant pour base l'idée

89. Ainsi Boborykin et le prêtre interrogé par Wallace. Même Panteleev déclare : « Le gymnase ne m'a laissé qu'un mauvais souvenir, la pension. » PANTELEEV, 1958, p. 512.
90. L'école a fonctionné comme un circuit amplificateur, pour reprendre l'image d'E. ERIKSON, 1950.
91. « Voprosy žizni », *Morskoj Sbornik* 9, 1856. Nous citons d'après la traduction française citée plus haut.
92. P. 26.
93. P. 31.

du bonheur et des jouissances de la vie d'ici-bas. »[94] La société est divisée en groupes qui suivent chacun passivement l'impulsion qui leur est donnée. Alors, trois voies s'offrent à qui fait son entrée dans la vie.

Il peut entrer dans l'un de ces groupes (« matérialiste », « vieux croyant » — c'est-à-dire adepte de la Lettre — « hédoniste », etc.) ; il abandonne alors les fruits de son éducation, la Révélation ; il se « matérialise ». Nous dirons qu'il s'adapte passivement.

Il peut encore devenir hostile à la société :

> « Fidèles encore à l'idée fondamentale de la doctrine chrétienne, nous nous sentons étrangers dans ce monde du paganisme mutilé à la façon du jour, nous formons des sectes, nous cherchons des prosélytes, nous devenons des contempteurs sombres et des hommes impossibles. »[95]

N'est-ce pas, prophétisé dès 1856, le portrait du « bilieux » *(želčevik)* ?

Ou bien encore, il hésite, passe d'un groupe à l'autre, inconséquent et plein de contradiction.

> « Les gens qui ont des prétentions à l'esprit et au sentiment, à la volonté morale, quelquefois perméables aux bases morales de notre éducation, sont trop pénétrants pour ne pas s'apercevoir, à leur entrée dans le monde, de la différence tranchante entre ces bases et la direction de la société, trop consciencieux pour abandonner sans regret et sans murmure le sublime et sacré, trop difficiles pour se contenter du choix qu'ils auraient fait à peu près malgré eux ou par inexpérience. Mécontents, ils rompent vite avec ce qui les entoure et, passant d'un groupe à l'autre..., ils ne trouvent guère de calme en eux-mêmes, cherchent à concilier les contradictions criantes, les abandonnent alternativement, travaillent avec enthousiasme et abnégation à résoudre les grandes questions de la vie. »[96]

Pirogov, avec une clairvoyance précoce, devine le danger :

> « Ce désaccord des sectaires avec la masse inerte, cette rupture entre les bases religieuses et morales de notre éducation, d'une part, et la voie de la société de l'autre, pourront tôt ou tard ébranler la société. »[97]

Mais une objection se présente à l'esprit. Pirogov oppose le monde chrétien de l'école au monde non chrétien qui attend l'enfant. Mais nous avons vu que le mal dont souffre l'école russe est justement d'être

94. P. 8.
95. P. 11.
96. P. 13.
97. P. 14.

pénétrée de la violence et de l'inhumanité qui sont les maux de la société russe. Il faudrait donc admettre qu'il existe à l'école un secteur protégé où les valeurs chrétiennes (et dans la pensée de Pirogov, ascétiques, opposées à la « jouissance matérialiste ») trouvent refuge et influencent profondément les âmes enfantines. A cette condition seulement l'intuition de Pirogov pourrait être vérifiée.

Le sort voulu que ce fût Dobroljubov qui fit la recension de l'article de Pirogov, il était alors élève de l'Institut pédagogique et n'avait quité le séminaire de Nižnij que depuis trois ans.

Or Dobroljubov ne fait pas allusion au contenu chrétien de l'enseignement. Dans les « Questions de la vie », qu'il admire passionnément, il a vu une dénonciation de la violence faite à l'enfant, un plaidoyer pour une éducation fondée en raison. C'est la violence qui est responsable des deux attitudes symétriques de la révolte et de la soumission.

> « Si l'on gêne (les natures fières et énergiques) dans leur développement spontané, si on les serre dans l'étau d'une routine banale, des notions étriquées de quelques précepteurs bornés ; s'ils manquent d'espace pour déployer leurs ailes et sont obligés de cheminer par un sentier étroit qui semble très commode et convenable à l'éducateur, ils tombent dans une inaction apathique et deviennent des inutiles, ou bien ils se font les ennemis acharnés, aveugles, de ces mêmes principes dans lesquels on les a élevés. Alors ils deviennent malheureux eux-mêmes et dangereux pour la société qui se voit contrainte de les rejeter de son sein. »[98]

L'analyse est étonnante de lucidité, mais il ne se sent pas enfermé dans le dilemme qu'il vient d'exposer. La brimade, à elle seule, n'est pas capable de produire des hommes inutilement soumis ou inutilement révoltés. Lui se juge manifestement destiné à « travailler avec enthousiasme et abnégation à résoudre les grandes questions de la vie ». Il en a, pense-t-il, la force. Où l'a-t-il puisée ?

L'école russe est une grave épreuve, mais elle contient en elle-même de quoi la surmonter. L'active génération de 1860 a su utiliser ces éléments positifs pour se construire sa personnalité. Les énumérer, c'est dessiner l'autre volet de l'éducation qui fait l'intelligentsia.

Le gymnase peut bien avoir des côtés obscurs, il n'est pas obscurantiste. La trinité d'Uvarov (Autocratie, Orthodoxie, Nationalisme) valorisait les valeurs irrationnelles, mais elle ne constituait pas un programme scolaire et, de fait, n'influença pas l'établissement des programmes. Ceux-ci sont pénétrés de rationalisme, comme tous ceux de l'Europe, et visent à développer la raison raisonnante. Marc Raeff en a

98. Sur le rôle de l'autorité dans l'éducation, *Sovremennik* 5, 1857 ; DOBROLJUBOV, 1956, p. 64.

montré l'influence : l'enseignement n'étant pas technique, mais cherchant à donner à tous une culture générale uniforme et de type occidental, il se développe dans les classes dirigeantes un esprit d'abstraction, détaché des réalités locales et nationales. De là, une tradition de pensée politique « qui rejette les voies de l'évolution organique, méprise les traditions historiques du pays et ne voulait rien entendre de compromis et de considérations pragmatiques » [99]. Une telle attitude existe aussi bien dans l'opposition que dans les milieux gouvernementaux. C'est l'esprit des Lumières, l'application universelle de la Raison qu'avait dénoncée, depuis Burke, toute la génération romantique et, en Russie, les slavophiles.

Je conviens que les *intelligents* sont des rationalistes, au même titre que tels fonctionnaires éclairés de la tradition de Speranskij. Mais ce qui les sépare d'eux, c'est la charge affective dont ils grèvent leurs raisons. Leurs motifs ne sont pas la rationalité, mais l'injustice à réparer, la dignité humaine à restaurer, la liberté à proclamer. Un rationalisme, mais chargé de passion et d'une passion dont les origines religieuses sont évidentes.

Raeff comme Pirogov suggère que la révolte naît du contraste entre l'école et la vie ; entre l'école rationaliste et la vie absurde, pour Raeff ; entre l'école chrétienne et la vie pénétrée de paganisme, pour Pirogov. Mais nous savons que la révolte est dans bien des cas antérieure ; elle commence à l'école même, premier modèle d'une société hostile. Absurde ? L'école, par ses insuffisances criantes, est en contradiction avec son propre enseignement. Antichrétienne ? Le problème est plus difficile à résoudre.

Car on est frappé par le peu de témoignage que livrent les collégiens sur leur vie spirituelle. Est-ce parce qu'ayant rompu, plus tard, avec la foi orthodoxe, ils refusent rétrospectivement ou ne se souviennent plus qu'elle ait compté dans leur vie ? Certainement, mais on peut apercevoir une autre explication.

Voici donc des enfants qui ont assisté à des centaines de messes, qui ont écouté des centaines d'heures d'instruction religieuse, et qui n'en disent mot. Tout se passe commes si l'enseignement chrétien faisait inséparablement partie d'un ensemble honni et était inclus dans la condamnation générale avec les mauvais traitements, l'ennui et la sévérité des professeurs et des inspecteurs. Et pourtant, toute leur vie, ils auront faim et soif de justice. C'est que les valeurs chrétiennes leur parviennent tout de même, mais indirectement, laïcisées, sous la forme de l'humanisme littéraire, puis politique.

Sous Nicolas, le cours d'histoire de la littérature russe — voir le méchant manuel de Zeleneckij — s'arrête à la fin du XVIIIe siècle [100]. Mais

99. RAEFF, 1963.
100. « Nous avions le déplorable manuel d'histoire de la littérature russe de Zeleneckij ; en classe notre professeur nous initiait à la littérature du XVIIIe siècle,

la passion et la seule occupation des collégiens dans les heures interminables et solitaires de l'après-midi est la lecture.

> « La preuve que nous avions beaucoup de temps à nous, c'est notre avidité sans limite d'avaler les articles de revue et la *bellettristique* dans les bibliothèques publiques de lecture où nous portions tous nos sous. S'abonner était le grand rêve. »

On lit Gogol', Lermontov, Pouchkine et les romanciers étrangers : « Nous nous jetions surtout sur les romans : Sue, Dumas, Walter Scott, Cooper, Dickens, Thackeray et, dans une moindre mesure, Balzac. » [101] Tout un flot d'émotions entre ainsi au gymnase. La littérature romantique devient le monde refuge, fascinant ; en échangeant les livres, les enfants échangent des émotions et des sentiments qui ne trouvent pas d'issue légitime dans la demi-caserne où ils se sentent enfermés.

Ce que la culture russe produit de plus vivant se pare d'un prestige de chose défendue. Le collégien a le sentiment d'avoir acquis le meilleur de son savoir par des voies obliques, « en dépit » des autorités naturelles qu'il est maintenant permis de ne plus respecter.

> « L'insignifiante part de bien qui se trouve en nous, nous l'avons acquise par nous-mêmes, à force de peines et de sacrifices, en dehors ou en dépit du système d'éducation gouvernementale, grâce aux antidotes que le hasard nous a fournis. Mais toute notre vie en est restée brisée. » [102]

Les *tovaričestva*, les « bandes » qui s'étaient constituées spontanément pour remplacer la famille absente et pour lutter contre les contraintes disciplinaires, deviennent ainsi le milieu où s'élabore une sorte de culture oppositionnelle. Le phénomène est encore peu marqué, mais il deviendra plus tard la plaie de l'école russe. Izgoev, dans *Vehi,* le dénonce au début du XXe siècle.

> « A l'école, l'enfant se sent dans un camp ennemi... Elle est le mal, malheureusement inévitable... Le professeur vous tombe dessus, l'enfant se défend... La bande est la seule influence culturelle à laquelle est soumise notre jeunesse. » [103]

L'adolescent se particularise, devient hostile, se crée « sa propre science » [104]. Le lycéen « développé » méprise ses professeurs, bien

---

mais nous n'avions presque jamais entendu parler de Lermontov, de Gogol', très peu de Pouchkine. » Ostrogorskij, 1895, p. 33.

101. Boborykin, 1929, p. 20-21.
102. Hudjakov, 1882, p. 2.
103. Izgoev, *in Vehi,* 1909, p. 182-209.
104. *Ibid.,* p. 188-189.

plus, il écrase de sa superbe ses camarades de classe qui ne connaissent pas la littérature « illégale ».

Mais voici qu'avec la mort de l'autocrate et le rajeunissement des cadres fait son apparition, dans le gymnase même, un homme qui fait le pont entre la culture « du dehors » et l'enseignement officiel : le professeur de littérature [105]. C'est un personnage clé de l'éducation sentimentale du jeune Russe. Kropotkin en parle ainsi :

> « Dans l'Europe occidentale, et probablement en Amérique, ce type de professeur semble être assez rare ; mais en Russie, il n'est pas un homme ou une femme ayant quelque valeur littéraire ou politique, qui ne doive à son professeur de littérature la première impulsion qui décida de son développement. Seul le professeur de littérature, guidé par les grandes lignes du programme mais libre de les traiter comme il lui plaît, peut relier les sciences historiques et humanitaires, en montrer l'unité dans une large conception philosophique et humaine et éveiller des idées et des inspirations plus hautes dans les cerveaux et les cœurs des jeunes gens. » [106]

C'est ainsi que, sous le nouveau règne, deux conceptions de l'enseignement entrent en concurrence : exercer sa tête au raisonnement, ouvrir son cœur aux grands élans. C'est la seconde qui triompha finalement. Un témoin peut écrire, de l'école russe du début du XXe siècle :

> « Voyez-vous l'enseignement français plaçant au centre du programme le courant René, Obermann, Rolla, Eloa, Dominique, avec toutes les leçons de misanthropie, de déception, d'incapacité de vivre dans le réel que cela comporte ? Or, c'est cela qui avait lieu en Russie... d'un côté, ' douleur mondiale ', ' mécontentement sacré ', ' homme de trop ', autre type positif de rêveur impénitent impropre à la vie pratique ; de l'autre, ' bonheur petit-bourgeois ' ou ' suffisance mesquine ' étaient termes de classe qu'il fallait connaître pour obtenir une note satisfaisante... Point d'exercices, point d'analyses de style, mais raisonnement humanitaire, fût-il imprécis et informe. » [107]

La prédominance des valeurs sentimentales n'est certes pas visible encore dans le gymnase de Nicolas. Il ne leur est officiellement laissé aucune place ; mais elles se glissent tout de même dans les interstices, et déposent des germes.

105. Dans le roman de MIHAJLOV-SELLER, 1864, un rôle considérable est attribué au personnage de Nosovič, professeur de littérature, qui parlant à ses élèves de Gogol', Belinskij, Herzen, est le parrain spirituel du petit cercle (*kružok*) des jeunes lycéens. Le professeur de littérature est déjà un héros de roman.
106. KROPOTKIN, 1933, p. 62-63.
107. GOURFINKEL, 1953, p. 51-52.

Parce qu'il ne lui est offert point d'autre accès que clandestin, la culture noble, bannie officiellement du gymnase, n'y pénètre que sous la forme la plus offensive et y prend une allure oppositionnelle. Pouchkine, lu au dortoir, sans parler de Belinskij, fait figure de révolutionnaire. Ainsi s'explique l'étonnante et soudaine politisation du gymnase, dès que la contrainte se relâcha quelque peu. Il y était préparé.

> « Les années d'école des jeunes gens en Russie sont si différentes de ce qu'elles sont en Europe occidentale... En général nos jeunes gens s'intéressent, même pendant leur séjour au gymnase ou à l'école militaire, à un grand nombre de questions sociales, philosophiques et politiques. » [108]

Ce mouvement commença, selon les endroits, à partir de 1858. Le gymnase tend à devenir le club où se préparent les futurs hommes publics de la Russie nouvelle [109]. On y travaille davantage, les mœurs y sont plus douces. A la rentrée de 1857, le troisième gymnase de Pétersbourg paraît transformé [110]. On vouvoie les élèves, on ne les fouette plus. Les revues d'avant-garde passent de main en main : toutes les vacances ont passé à les lire.

On discute tard dans la nuit. Dans le lointain gymnase de Kutais, dans le Caucase, les élèves sont plongés dans le *Sovremennik*, dans le *Russkij Vestnik*. Ils ne parlent que de l'attentat d'Orsini :

> « On peut dire que notre jeunesse collégienne grandissait non pas de jour en jour, mais d'heure en heure. Cette jeunesse, encore il y a si peu, si infantile, ne sachant rien en dehors des murs du gymnase..., cette jeunesse qui, deux ans auparavant... paradait avec d'autres détachements des gymnases et des universités à la parade de Mai. » [111]

L'esprit nouveau entre en franchise à l'école. L'élan humanitaire des années soixante, fait de bonne volonté, d'opposition sentimentale et rationnelle à la fois, s'accorde d'emblée avec la sensibilité collégienne, lui donne forme et contenu. On est surpris de l'extrême jeunesse des principaux acteurs de cette génération : c'est qu'ils avaient commencé à vivre précocement.

108. Kropotkin, 1933, p. 62.
109. Et aussi dans les écoles de cadets : « On devenait studieux et sérieux... Maintenant les petites classes travaillaient très bien, la moralité n'était plus du tout ce qu'elle avait été quelques années auparavant. Les distractions orientales n'étaient plus considérées qu'avec dégoût. » *Ibid.*, p. 59.
110. Ostrogorskij, 1895, p. 32.
111. Nikoladze, 1927, p. 30.

« Nous vivions cette phase de la formation des idéaux, du caractère et de la personnalité, que d'ordinaire on vit à l'Université. »[112] « La fin des années cinquante était l'époque particulière où les garçons de quinze et seize ans avaient déjà leur propre conception du monde, et se représentaient clairement le caractère de leur future activité. »[113]

Encore ne faut-il pas exagérer : disons qu'ils étaient déjà affectivement orientés. Lorsque, un peu plus tard (en 1867), un lycéen de quatorze ans lit tout ce qu'il ne faut pas lire (le *Que faire ?* de Černiševskij, Dobroljubov, Lasalle, Mill, etc.), il avoue ne pas comprendre. Néanmoins, déclare-t-il, « je crois que j'en ai été influencé »[114]. Il serait plus exact de dire qu'il était « influencé » avant d'avoir lu, et que c'était pour cela qu'il lisait. Si notre hypothèse est vraie, les catégories mentales sont mises en place dès le gymnase et à cause du gymnase. Tout le savoir futur s'y rangera.

Nous pouvons ainsi comprendre, de l'intérieur, les rapports qui se nouent, au début du nouveau règne, entre le gymnase et l'Université.

L'Université, selon les plans gouvernementaux, devait assurer la formation d'un nombre restreint de cadres supérieurs. Les échelons moyens et inférieurs du service public seraient occupés par des hommes de formation secondaire. Dans tous les cas, le service est le débouché normal. La hiérarchie des diplômes préfigure la hiérachie administrative. Beaucoup d'enfants abandonnent au cours de la scolarité[115], soit parce qu'ils ne peuvent supporter le régime du collège, soit que leurs parents sont pressés, pour une raison ou pour une autre, de les voir prendre place à la table de la chancellerie où ils passeront le reste de leur vie. L'examen de sortie de la troisième classe du gymnase donne les mêmes droits que l'examen final de l'école d'*uezd.* Beaucoup s'en contentent[116]. S'ils parviennent en fin de scolarité, pas un sur deux dans les capitales, pas un sur dix dans les petites villes de province ne se présentera à l'examen d'entrée à l'Université[117]. Qu'est-elle pour eux ? Un degré à saisir de l'échelle sociale, une perspective de carrière, une chance, la seule, d'échapper à l'engourdissement du service provincial.

Mais l'aspiration à pénétrer dans l'enseignement supérieur ne se nour-

112. Ostrogorskij, 1895, p. 32.
113. Kuljabko, 1892, p. 729.
114. Dejč, 1919, p. 16. Il était alors au gymnase de Kiev.
115. « Plus des deux tiers de mes camarades ne purent supporter cet enseignement homicide jusqu'au bout et tournèrent bride avant d'avoir atteint la 7e classe. » Hudjakov, 1882, p. 19. Les départs en cours de scolarité sont une constante de l'enseignement russe. *Cf.* Ganelin, 1954, p. 122.
116. Panteleev, 1958, *ibid.* Sur les trente élèves d'une promotion normale, deux ou trois élèves du lycée de Vologda entrent à l'Université, en année normale. Mais, avec l'élan de la fin des années cinquante, huit élèves.
117. *Cf.* en annexe le tableau établi pour les élèves des dix gymnases de Saint-Pétersbourg, de 1828 à 1852.

rit pas toujours de motifs aussi rationnels et aussi adultes. Elle prend sa source dans la revendication spécifique de l'enfant : grandir.

> « Oui, nous en rêvions (de devenir étudiants) et cela est important. L'étudiant représentait pour nous le plus haut degré de l'élève : il apprend, et pourtant c'est un grand. Il a un tricorne et une épée. Voilà pourquoi un grand tiers d'entre nous décida de son propre chef, à quatorze ans, sans aucune pression des autorités ni des parents, de continuer à étudier le latin (option obligatoire pour qui se destine à l'Université). » [118]

En entravant le développement de la personnalité, l'école russe favorise une attitude encore infantile envers l'Université.

> « L'Université attirait d'abord parce qu'elle était pour nous le symbole de notre libération à l'égard des interdits et de la dépendance des jeunes *(maloletok)*, de la situation d'écolier, de la surveillance familiale. » [119]

Tel est donc l'échec final de l'école d'Etat ; l'adolescent veut devenir étudiant non par désir social d'acquérir un métier ou une place, mais par désir individualiste d'épanouir sa personnalité [120]. Non pour devenir un rouage de la machine d'Etat, mais « leader social », si l'on peut traduire ainsi l'intraduisible *obščestvennyj dejatel'* ; en un mot, non pour devenir un homme, mais un enfant en liberté.

118. DERKAČEV, 1899, p. 197. Il raconte l'aspiration de jeunes gens de Simferopol' qui veulent entrer à l'Université pour ne pas se « cristalliser sous la forme de conseiller titulaire ». Ils ne croient pas que « vivre en Russie, c'est naître *činovnik* ».
119. BOBORYKIN, 1929, p. 57.
120. Dans l'évolution du gymnase, il faut tenir compte de l'action des étudiants qui viennent, au moins dans les villes universitaires, rendre visite à leurs anciens camarades, leur passer des livres et faire un cercle autour d'eux. OSTROGORSKIJ, 1895, p. 32-33.

Annexe

Les gymnases en 1855

Circonscription (Učebnyj okrug) de Saint-Pétersbourg	13 gymnases	2 933 élèves
Saint-Pétersbourg	5 gymnases	
Pskov		
Novgorod		
Vologda		
Petrozavodsk		
Arhangel'sk		
Mogilev		
Vitebsk		
Dunaburg		
Circonscription de Moscou	12 gymnases	3 241 élèves
Moscou	4 gymnases	
Vladimir		
Kostroma		
Kaluga		
Rjazan'		
Smolensk		
Tver'		
Tula		
Jaroslavl'		
Circonscription de Kazan'	9 gymnases	2 057 élèves
Kazan'	2 gymnases	
Nižnij	1 gymnase 1 institut de la noblesse	
Simbirsk		
Penza	1 gymnase 1 institut de la noblesse	
Vjatka		
Saratov		
Parm		
Ufa		
Astrahan'		
Circonscription de Har'kov	7 gymnases	1 443 élèves
Har'kov		
Kursk		
Voronež		
Orel		
Tambov		
Novočerkask		

Circonscription de Kiev	11 gymnases	3 530 élèves
Kiev	2 gymnases	
Žitomir		
Kamenec-Podol'sk		
Rovno		
Černigov		
Novgorod Seversk		
Poltava		
Nemirov		
Belaja Cerkov'		
Nežin		
Circonscription de Dorpat	5 gymnases	794 élèves
Dorpat		
Riga		
Mitau		
Revel		
Circonscription de Vilna	7 gymnases	2 084 élèves
Vilna	1 gymnase 1 institut de la noblesse	
Kovno		
Grodno		
Svali		
Belostok		
Minsk		
Slucka		
Circonscription d'Odessa	7 gymnases	1 322 élèves
Odessa	1 gymnase près le lycée Richelieu 1 gymnase	
Herson		
Simferopol'		
Ekaterinoslav		
Kišinev		
Taganrog		
Sibérie	3 gymnases	423 élèves
Irkutsk		
Tobol'sk		
Tomsk		
Total	*74 gymnases*	*17 827 élèves*

(*ŽMNP*, 1856, t. 90.)

ORIGINE SOCIALE DES ÉLÈVES DES GYMNASES (%)

Origine	*1833*	*1864*	*1869*	*1875*	*1884*	*1892*
Nobles	78	70	64	52,8	49,2	56,2
Classes urbaines *(Gorodshoe soslovie)*	17	20	26	33,1	35,9	31,3
Classes rurales *(Sel'skoe soslovie)*	2	4	5	6,9	6,9	5,9
Clergé	2	3,5	3	1,4	1,4	1,9

EVOLUTION DE L'EFFECTIF ÉTUDIANT DANS LES UNIVERSITÉS RUSSES DE 1866 A 1875

Années	*Pétersbourg*	*Moscou*	*Kazan'*	*Kiev*	*Odessa*	*Har'kov*	*Dorpat*	*Varsovie*
1866	632	1 511	289	497	178	484	521	
1867	762	1 455	280	454	237	445	510	
1868	890	1 411	282	499	309	478	484	
1869	944	1 611	404	563	340	563	509	
1870	1 015	1 568	456	656	413	475	597	1 031
1871	1 168	1 541	590	784	410	552	625	981
1872	1 285	1 522	615	940	412	527	638	795
1873	1 210	1 353	531	843	365	448	643	679
1874	1 142	1 256	473	796	297	389	647	635
1875	1 150	1 161	462	694	259	407	753	482

(*Materialy sobrannye otdelom vysočajščej učrezdennoj komissii dlja peremostra Obščago ustava rossijskih universitetov*, Saint-Pétersbourg, 1876.)

EFFECTIFS DES ÉTABLISSEMENTS D'ENSEIGNEMENT SECONDAIRE ET SUPÉRIEUR DE 1830 A 1858.

Années (1)	*Etudiants dans les universités* (2)	*Etudiants dans les autres établissements d'enseignement supérieur* (3)	*Elèves des gymnases* (4)	*Nombre des gymnases* (5)
1830	2 317	—	—	62
1831	2 201	—	—	61
1832	—	—	—	—
1833	—	—	—	—
1834	—	—	—	—
1835	—	—	—	—
1836	—	—	—	—
1837	2 307	593	16 506	69
1838	2 446	397	17 403	70
1839	2 465	299	16 753	72
1840	2 740	1 069	16 854	73
1841	2 858	706	18 960	74
1842	2 884	604	17 006	74
1843	2 966	513	17 890	74
1844	3 274	480	19 453	74
1845	3 516	473	20 436	75
1846	3 826	513	20 820	75
1847	4 004	508	21 082	75
1848	4 006	461	19 496	75
1849	3 956	498	19 428	74
1850	3 018	503	18 764	74
1851	3 116	494	18 192	74
1852	3 112	489	18 327	76

(1)	(2)	(3)	(4)	(5)
1853	3 443	524	17 868	76
1854	3 551	446	17 827	76
1855	3 659	366	17 817	76
1856	4 168	314	19 098	77
1857	4 714	285	20 274	77
1858	4 884	317	22 270	78

(KNJAZKOV i SERBOV, *Očerki istorii narodnogo obrazovanija, v Rossii do epohi reform Aleksandra II-ogo,* Moscou, 1910, p. 144.)

EFFECTIFS DES GYMNASES EN RUSSIE, 1836-1863

Année	*Nombre d'élèves*	*Année*	*Nombre d'élèves*
1836	15 475	1850	18 764
1837	16 019	1851	18 197
1838	16 928	1852	18 527
1839	16 298	1853	19 207
1840	16 271	1854	17 809
1841	16 195	1855	17 817
1842	16 554	1856	19 488
1843	17 330	1857	20 274
1844	18 743	1858	22 272
1845	19 744	1859	23 271
1846	20 669	1860	24 511
1847	20 372	1861	25 913
1848	18 914	1862	27 952
1849	19 428	1863	29 524

(*ŽMNP,* 1864, t. 121, p. 354-367.)

PRÉCEPTEURS ET PRÉCEPTRICES : ÉTAT POUR L'ANNÉE 1853

Surveillants *(domašnie nastavniki)*	55
Précepteurs *(domašnie učiteli)*	358
Préceptrices *(domašnie učitel'nicy)*	368
Faisant fonction de précepteur *(ispravljajuščie dolžnost' domašnyh)*	26
Faisant fonction de préceptrices *(ispravljajuščie dolžnost' domašnyh učitel'nic)*	11
« S'occupant d'instruction élémentaire » *(zanimajuščiesja pervonačal'nym obučeniem)*	971
Autres catégories	448
Total	*2 237*

Dont, par circonscription

Saint-Pétersbourg	1 231
Moscou	237
Har'kov	74
Kazan'	112
Kiev	82
Dorpat	**551**
Vilna	17
Odessa	23

(*ŽMNP,* 1854, t. 82.)

Le passage du secondaire au supérieur

Elèves des gymnases terminant la dernière année du gymnase *(10-ij kurs)* et continuant à bénéficier d'une instruction supérieure. Statistique établie pour dix gymnases de la circonscription de Saint-Pétersbourg.

Années	*Promotion de fin d'études secondaires (10-ij kurs)*	*Entrées dans l'enseignement supérieur*
1828	9	—
1829	29	10
1830	28	8
1831	26	6
1832	18	7
1833	28	8
1834	20	13
1835	16	9
1836	31	12
1837	23	10
1838	48	20
1839	45	22
1840	59	15
1841	70	30
1842	66	29
1843	91	36
1844	76	37
1845	82	44
1846	100	59
1847	111	62
1848	116	74
1849	101	43
1850	96	36
1851	120	74
1852	144	72

(I. Alešincev, *Istorija gimnazičeskogo obrazovanija v Rossii, XVIII-XIX vv.*, Saint-Pétersbourg, 1912, p. 193-194.)

Nombre d'élèves dans la circonscription de Saint-Pétersbourg

Établissements	*1810*	*1820*	*1824*	*1828*
Instituts pédagogiques et université	102	85	51	168
Pensions de la noblesse	—	105	68	100
Ecoles supérieures (1822-1837)	—	—	395	386
Ecoles et pensions privées	458	760	450	431
Gymnases	1 647	2 002	2 027	2 275
Ecole d'*uezd* et de paroisse	4 043	3 770	4 465	4 689

(Miljukov, ii, 1899, p. 319.)

EFFECTIFS DES GYMNASES, AVEC ORIGINES SOCIALE ET RELIGIEUSE

Origine	*1833*	*1843*	*1853*	*1863*
Origine sociale				
Nobles et *činovniki*	5 910	10 066	12 007	17 320
Clergé	159	218	343	666
Autres (dont serfs)	1 426	2 500	2 719	5 707
Total	*7 495*	*12 784*	*15 069*	*23 693*
Origine religieuse				
Orthodoxes	—	—	7 884	14 313
Catholiques	—	—	3 571	6 840
Protestants	—	—	1 020	1 927
Juifs	—	—	159	552
Musulmans	—	—	23	61

(*ŽMNP*, 1864, t. 121, p. 376.)

PRÉDOMINANCE DES NOBLES
Exemple de la circonscription de Saint-Pétersbourg en 1853

	Nobles	*Autres classes*	*Total*
Université	299	125	424
Gymnases	2 265	566	2 831
Écoles de district *(uezd)*	1 814	2 872	4 686
Écoles de paroisses urbaines	883	6 730	7 613
Écoles et pensions privées	2 960	3 192	6 152

(MILJUKOV, 1899, II, p. 329.)

L'ENSEIGNEMENT ÉLÉMENTAIRE EN RUSSIE EN 1856 : NARODNOE OBRAZOVANIE

	Nombre d'élèves	*Nombre d'écoles*	*% de la population*
49 gouvernements européens	432 889	7 841	0,75
Caucase	5 505	74	0,19
Sibérie	11 608	312	0,35
Total	*450 002*	*8 227*	*0,70*

(*Statističeskie tablicy Rossijskoj Imperii za 1856*, Saint-Pétersbourg, 1858, p. 216, 217.)

II. L'Université

La question que nous nous posons reste celle-ci : quels sont, dans les cycles éducatifs que traverse le jeune Russe, les éléments qui le prédisposent aux attitudes propres à l'intelligentsia ?

Nous en avons aperçu plusieurs dans le système d'éducation secondaire. Nous retrouvons souvent les mêmes dans l'Université, mais aussi de nouveaux, et dans une réalité autrement complexe.

D'autres facteurs entrent en jeu :

1) Le gymnase russe est un monde relativement clos et statique. Ses rapports avec la société russe sont donnés une fois pour toutes. L'Université, au contraire, est un monde plus ouvert, en échange constant avec la société. Il sera plus difficile de séparer, pour l'analyse, ce qui appartient à l'Université et ce qui appartient à l'esprit du temps.

2) Voulant suivre l'itinéraire spirituel d'une génération, nous avons décrit le gymnase de Nicolas Ier et nous allons décrire principalement l'Université pendant les premières années du règne d'Alexandre II. Deux climats opposés, une société simple et immobile, une société complexe et en mouvement.

3) Au début de ce règne, précisément en 1861, l'Université se trouve au centre de la vie politique. Le premier mouvement public d'opposition, dans les couches cultivées du pays, est le mouvement étudiant. La première opposition clandestine est le fait d'étudiants.

4) Enfin, c'est dans l'Université que s'opère le passage à la vie sociale normale ou à la vie en marge. Le destin individuel s'y joue pour longtemps. Les années d'études sont celles du choix.

1. L'HÉRITAGE

Sauf celle de Moscou qui date du milieu du XVIIIe siècle, la plupart des universités russes ont été fondées d'un seul coup en 1804[1]. Leur origine n'est due qu'en partie à une nécessité interne, ou, en langage de l'époque, au « développement organique du pays ». Rattraper et dépas-

1. Date de fondation des universités russes : Moscou, 1755 ; Kazan', 1804 ; Har'kov, 1804 ; Dorpat, 1632 et mise sous contrôle russe en 1804 ; Vilna, 1802 et transférée à Kiev en 1835 ; Pétersbourg, 1819 ; Odessa, 1865. L'université de Tomsk fut fondée en 1888 et celle de Saratov en 1909.

ser l'Occident étant un des moteurs de la bureaucratie russe, les universités russes sont des créations d'en haut, sur un modèle étranger. De là, deux paradoxes.

Le modèle choisi était le modèle allemand, c'est-à-dire que le principe de base était l'autonomie. Or, en Russie, l'école est doublement d'Etat, par son origine et sa destination. Elle prépare à elle-même, ou au service. Mais à mesure que la différence s'accroît entre l'école technique, où l'Etat puise les ingénieurs et les cartographes dont il a besoin, et l'Université qui dispense la culture générale nécessaire à la formation d'administrateurs de qualité, cette dernière ne peut que devenir rebelle au contrôle étatique. Dans d'autres pays, comme en France, la protection de l'Etat pouvait apparaître comme une défense contre les empiétements spirituels et temporels de l'Eglise. Mais en Russie, l'Etat est le seul partenaire. Fondateur, il n'est pas le protecteur. L'autonomie originaire lui est réclamée de plus en plus fort. Autonomie ! Tel est le cri qui retentit pendant tout le siècle.

D'autre part, l'effort des souverains avait été de rendre les universités russes dignes des meilleures réalisations étrangères. Dans le second quart du XIXe siècle, ils ne sont pas loin d'y parvenir. Pétersbourg et Moscou peuvent, à certains égards, se comparer à Heidelberg ou Tübingen. Ce qu'on y trouve, ce n'est pas seulement le corps de savoir nécessaire à un bon serviteur de l'empire, mais la culture désintéressée, la Science pure, la Science avec tout le contenu affectif que le XIXe siècle européen et particulièrement russe attache à ce mot. Or il y a un décalage flagrant entre le niveau remarquable et compétitif de ces universités et l'arriération du monde russe. C'est justement parce qu'elles sont les émules d'Heidelberg qu'elles ne peuvent fonctionner de façon satisfaisante. Elles sont comme des corps étrangers dans la société russe. D'où, sans doute, leur revendication anxieuse d'autonomie : isolées, elles réagissent en s'isolant davantage. D'où aussi, pour l'Etat, ce dilemme : ou bien la Russie aurait de vraies et libres universités, comme en Occident, mais elles seraient des établissements de luxe, inutiles, sauf au prestige russe, peut-être dangereuses. Ou bien on les forcerait à entrer dans le cadre étatique : former les fonctionnaires, diffuser l'idéologie officielle ; mais alors, le milieu russe étant ce qu'il est, cela revient à anéantir l'Université. Telles sont les contradictions initiales de la question universitaire en Russie. Elles ne seront jamais tout à fait résolues, puisque la Russie dans son ensemble n'arrivera pas à se hausser au niveau, d'emblée moderne, de ce bel outil qu'elle a voulu posséder. A la fin du XIXe siècle, la révolution économique amènera cependant des progrès. Mais dans les années soixante, ces contradictions provoquent des crises aiguës, peut-être les plus décisives de l'histoire universitaire russe.

Alexandre Ier avait doté les minuscules universités russes d'une superbe autonomie. Comme elles sont presque vides, peuplées seulement de quelques dizaines d'étudiants, de professeurs allemands et russes de capacité modique, cette liberté ne coûte guère à l'Etat. L'Université compte encore si peu dans la vie russe, que selon le hasard des circonstances, elle supporte passivement des crises de répression ou bénéficie de la tranquillité d'un refuge oublié. A l'université de Kazan' dans les années vingt, sévit un disciple d'Arakčeev, l'étonnant Magnickij. Les étudiants sont répartis selon leur niveau moral et non seulement leur spécialité. Chaque groupe vit à part, assigné à un étage de l'université, et mange séparément pour que la contagion du péché ne puisse s'étendre. Si un étudiant enfreint quelque règle, il est déclaré pécheur. Il est enfermé dans la chambre de Solitude, grillée et cadenassée. Sur son seuil, une inscription tirée de l'Ecriture, et, sur un de ses murs, un tableau du jugement dernier. Le puni devait marquer sa place parmi les réprouvés. C'est là une tentative exceptionnelle, d'esprit « mystique » et « totalitaire » dans le style d'Arakčeev [2].

A Moscou, le tableau est presque idyllique. La discipline est douce ; point de surveillance hors de l'enceinte universitaire. Les étudiants vivent en appartement et les autorités ne sont pas informées de leur adresse. Ils mènent une vie calme, modeste, sans beuveries. L'inspecteur, bon enfant, veille seulement à ce qu'ils portent leur uniforme dans les amphithéâtres. Il ne sait même pas toujours leur nom. Ils sont dispersés, sans contact les uns avec les autres, réunis parfois dans des amicales d'anciens du même gymnase. Ils ne forment pas de corps. Les étudiants sont entre eux d'une politesse pleine de bonhomie : celle qui doit être entre gens de bonne compagnie et du même milieu. Ils sont encore des gentilshommes avant d'être des étudiants [3].

La réaction commença dans les années trente, pour les raisons exposées plus haut. Le statut de 1835, préparé par Uvarov, met officiellement fin à l'autonomie qui était peu à peu, à mesure que l'Université jouait un rôle plus grand dans la culture russe, une fiction. Le curateur est obligé à résidence, et si le recteur et les doyens restent élus, le rôle du conseil universitaire est réduit. Il perd ses fonctions judiciaires.

L'inspecteur n'est plus choisi parmi les professeurs, mais est nommé par le curateur, responsable de la discipline. Les étudiants reçoivent un uniforme et le statut réglemente leurs obligations morales, leur coiffure, leurs manières, etc. Le contenu de l'enseignement est modifié : la théologie et l'histoire sainte deviennent des matières obligatoires, des chaires de droit russe sont instaurées dans les facultés de droit, pour faciliter la formation de fonctionnaires plutôt que de juristes savants, mais abstraits. Les professeurs, dit Uvarov, doivent enseigner une

2. KLJUČEVSKIJ, 1958, t. V, p. 240-241.

3. KOSTENECKIJ, « Vospominanija iz moej studenčeskoj žizni », *Russkij Arhiv* 3, 1887, cité par I. SOLOV'EV, 1914, p. 119-120. Le recueil de Solov'ev est peut-être la source principale sur les universités au temps de Nicolas Ier. Le volume s'arrête malheureusement tout net en 1855.

science russe fondée sur les principes russes : Orthodoxie, Autocratie, Nationalisme [4].

Mais il est remarquable que cette prise en main par l'Etat n'empêchât pas le premier essor de l'Université russe, que le statut libéral de 1840 avait été incapable de provoquer. Ce sont les années de conquête de la Russie par la pensée, la poésie, la philosophie romantique allemande. Les jeunes professeurs, qu'on avait envoyés se former à Dorpat, mais le plus souvent en Allemagne, s'appellent Nevolin, Redkin, Pirogov, Krjukov, Granovskij... Le principe ouvarovien de *narodnost'*, ils l'interprètent à la mode hégélienne. Si même ils approuvent l'idéologie officielle, ils y ont préalablement réfléchi, alors qu'on leur demande seulement de croire. Tout se passe comme s'ils réagissaient à la brimade en se constituant en milieu protégé, voué au culte de la Science. D'où leur prestige assez grand sur la jeune génération de gentilshommes qui, après le décembrisme, n'envisagent plus de faire carrière dans l'Etat ou les armées. Ils vont plus loin que leurs maîtres : ils font de l'Université une Utopie, au sens fort du terme [5].

Ils y introduisent, au milieu de la société la plus inégale d'Europe, une république égalitaire. L'institution fondamentale est le cercle, le *kružok* étudiant, dont le principe de cohésion est strictement iéologique. Le cercle de Herzen réunit un grand seigneur comme Ogarev, des nobles de moins haute lignée comme Kečer et Latkin, Savič, enfant d'une très pauvre famille de Har'kov, Passek, fils d'un émigré polonais, « riche seulement de ses malheurs et de ses vertus » [6]. Le cercle de Stankevič n'a d'autres liens que ceux d'une communauté de goût, d'idées, d'amitié autour d'une personnalité qui en est l'âme. Ces jeunes gens rêvent d'amitiés schilleriennes et surmontent leur isolement en communiant avec le cosmos, trouvent une diversion à l'obsédante pauvreté du réel. en conquérant l'absolu.

Il est certain que le jeune Russe était entré à l'Université pour échapper à la Russie que lui proposait Nicolas Ier. Mais une fois qu'il y est entré, comment pourrait-il revenir en arrière ?

> « Ils ne peuvent plus s'accommoder de l'autocratie, après avoir pris l'habitude à l'Université, moins encore de l'ignorer que de pratiquer entre eux un régime renversant le système de valeurs sociales. » [7]

Elle est en pleine Russie, comme la Genève idéale de Rousseau. On ne saurait exagérer l'importance de cette mutation d'une fraction de la noblesse russe. Pour la première fois l'idée de Service commence à

4. Miljukov, 1899, p. 330-333.
5. Sur la vie intellectuelle dans les universités russes des années trente, les meilleures études sont à coup sûr Labry, 1928 et Malia, 1961.
6. Labry, 1928, p. 89.
7. *Ibid.*, p. 90.

disparaître de la mentalité du privilégié russe. L'idée de Service s'était conservée même dans la liberté noble du *pomeščik* qui considérait son activité comme un service *(služba)*[8]. Il n'y avait pas antagonisme psychologique entre les fonctions successivement bureaucratiques et domaniales du noble russe, même si, économiquement, cela n'avait pas un bon résultat. Mais il y en a un, insurmontable, entre le bureaucrate et l'universitaire du temps de Nicolas. Les universités allemandes avaient pris sur elles de fonder philosophiquement l'idéal bureaucratique ; mais Schelling et Hegel, tels qu'ils sont importés en Russie, n'y peuvent jouer ce rôle[9]. Il est plus malaisé de soutenir en Russie qu'en Prusse que le Réel est rationnel ; et la rapide dérive de l'hégélianisme russe vers la gauche montre que, au niveau tout au moins des *kružki* étudiants, la tâche était impossible. Les universités aliénées se réfugient dans l'aliénation par une sorte de fuite en avant. Mais alors elles attirent la répression de l'Etat, fondé à leur rappeler leur mission. Cercle vicieux, pour la première fois bouclé vers 1840, faute de n'avoir, pour les universités, pu fondre l'idéal de culture désintéressée, dont elles ont été dotées dans leur berceau, et la fonction urgente de former les cadres dont la Russie a besoin.

Le gouvernement est conscient de cette désertion de l'élite, première « émigration à l'intérieur » de l'histoire de Russie. Une circulaire constate :

> « Beaucoup de jeunes gens à la fin de leurs études universitaires n'entrent pas au Service mais restent dans la capitale, et prennent part à la publication de revues et de journaux. »[10]

Mais elle l'interprète de façon curieusement matérialiste : comme résultat d'un afflux des basses classes. En effet, l'accès de l'Université est libre à tous ceux qui peuvent passer l'examen d'entrée à la seule condition de n'être pas serf[11]. Une circulaire s'inquiète des moyens d'empêcher les jeunes gens d'aspirer aux connaissances « de luxe » *(roskošnye)* qui ne sont pas faites pour eux, inutiles « pour eux-mêmes et pour l'Etat ».[12] Le gouvernement russe n'a pas encore pris son parti, ni seulement pris conscience de cette trahison des privilégiés ; le danger ne peut venir que des non privilégiés, et c'est pourquoi il anticipe sur la formation d'un « prolétariat pensant » qui à cette date n'existe pas encore.

Dans la série de brimade qui s'abattent sur l'Université, lors de la panique qui suit 1848, on peut distinguer celles qui intéressent les professeurs et celles qui intéressent les étudiants.

8. Confino, 1963, p. 255.
9. Malia, 1961, p. 69-99, analyse la signification de Schelling en Allemagne, montre la parenté de situation des milieux cultivés de l'Allemagne princière du Congrès de Vienne et de l'intelligentsia en formation dans la Russie de Nicolas Ier.
10. Circulaire du 31 déc. 1840, Miljukov, 1899, p. 332.
11. Labry, 1928, p. 87.
12. Circulaire du 31 déc. 1840, *ibid.*

Les libertés académiques sont encore restreintes [13]. A partir de 1849, les recteurs deviennent des fonctionnaires nommés. Le ministre, en dehors de l'élection, peut nommer des titulaires aux chaires de professeurs. Mais voici qui est plus grave : les professeurs ne pourront plus se former ni faire des stages dans les universités étrangères. Un *Institut des docent* assurera sur place cette formation. C'était abaisser le rideau de fer culturel. D'autre part, le gouvernement essaie de substituer un contrôle total à ce qui n'était jusqu'ici qu'une surveillance extérieure. Si, depuis le décembrisme, la police soupçonnait une société secrète dans toute compagnie de camarades, elle était assez indifférente au contenu de l'enseignement. Désormais, les recteurs et les doyens doivent en rendre compte. Les professeurs devront fournir préalablement le détail de leurs leçons, ainsi que la liste des livres dont ils auront pu se servir. Leur manuscrit est vérifié. Les doyens doivent veiller à ce que rien ne s'y glisse de contraire à la foi ou aux principes de l'Etat. Le droit constitutionnel est exclu du programme, ainsi que la philosophie, sauf deux branches, la logique et la psychologie, confiées aux professeurs de théologie (toujours ecclésiastiques), qui les font coïncider avec les vérités de la Révélation.

D'autre part, le gouvernement s'est fixé pour but de restreindre le nombre des étudiants. Les droits sont à peu près doublés : quarante roubles dans les universités de province, cinquante roubles dans les deux capitales. Le 30 avril 1849 est prise une mesure grave : elle fixe à 300 l'effectif maximum de chaque université. Ses portes resteront fermées jusqu'à ce qu'il soit descendu à ce niveau. En quelques années le nombre des étudiants doit donc passer théoriquement de 4 000, environ, à 1 800. En fait, la chute ne sera pas si profonde. Boursiers de l'Etat, étudiants en médecine, théologiens, échappent au *numerus clausus*. Mais il faudra huit années pour que le chiffre de 1847 soit dépassé. En 1853, il n'y a plus que 37 étudiants à la faculté d'histoire et de philologie de Pétersbourg. Un seul y entre en 1857. Ce malthusianisme diminue encore le poids spécifique de l'intelligentsia dans la société russe [14].

Pendant cinq ans, jusqu'à la mort de Nicolas Ier, les universités semblent « au bord de la faillite » [15]. Il est question de les fermer complètement, de les transformer en écoles militaires et les étudiants en cadets. Pourtant, l'Université ne mourut pas. La répression fut trop courte. Les effets n'en furent pas les mêmes sur la vie étudiante et sur le corps professoral. Du côté étudiant, le tableau à la veille de la guerre de Crimée est assez cauchemardesque. Un ancien colonel, Musin-Puškin, sévit à Pétersbourg ; dans ses relations avec les étudiants, il

13. MILJUKOV, 1899, p. 333-335.
14. AŠEVSKIJ, 4, 1907, p. 13 et ss. La chronique d'Aševskij est la plus détaillée sur le mouvement étudiant dans les années soixante.
15. NIKITENKO, 1955, t. I, p. 378.

emploie le « nous » de majesté [16]. Malheur à celui qui ne le salue pas le premier : c'est une bordée d'injures. A Kiev et Har'kov, les curateurs doivent obéir en détail au général gouverneur, le vieux soudard Kokoškin et Bibikov, « tout juste capable de commander un régiment de pompiers » [17]. A Moscou, c'est Nazimov, incroyable de grossièreté et d'ignorance, et à Kazan', Molostov, un ancien *ataman* de cosaque. Tous ne pensent qu'en termes de discipline et introduisent l'esprit d'une école de cadets. Cols hauts sanglés, boutons au complet, nuques rasées : la revue de détail a lieu parfois dans la salle des Actes. Pour un bouton mal cousu, il arrive que l'étudiant soit chassé avec la seule perspective de devenir *feldšer* (officier de santé) ou maître d'école paroissiale. A Kazan', l'inspecteur jette au cachot ses étudiants pour les motifs suivants : n'a pas salué l'inspecteur ; l'a salué de façon négligente ; porte des cheveux trop longs ; porte la moustache ; fantaisie dans la tenue ; fréquente le *traktir* ; occupe au théâtre les places de paradis ; retard aux services divins, absence de cravate ; fume ; déboutonne sa redingote pendant les repas ; crache ; n'aime pas la cuisine de l'ordinaire, etc.

L'insécurité des conditions était la hantise du privilégié russe ; nulle part elle n'est plus angoissante que dans ces universités où un mot de l'inspecteur peut anéantir un travail de plusieurs années et un avenir.

L'Université se militarise. A Pétersbourg, sous la conduite d'un capitaine, de plusieurs sous-officiers et de deux tambours, les étudiants doivent faire six heures d'exercice *(marširovka)* par semaine. Le curateur se donne parfois le plaisir de crier lui-même les « une-deux » et les « gauche-droite » [18]. Sous le règne de Nicolas, écrit le grand Solov'ev, l'instruction avait cessé d'être un mérite pour devenir un crime aux yeux de l'empereur. Les *načalniki* présentaient la Russie à l'empereur comme à la revue, sur le grand chemin, et si tout était correct, c'est que tout allait bien... Les établissements d'enseignement étaient aussi passés en revue, tout était propre, brillant, correct, les élèves se raidissaient et criaient : « Bonne santé, votre majesté impériale ! » et l'on ne demandait rien de plus [19].

Le monde étudiant ne possède encore ni la conscience, ni les organisations, ni les appuis extérieurs qui lui auraient permis de résister à la brutale intrusion de l'esprit de caserne. Il ne réagit pas, ou bien fuit dans les basses compensations. Pétersbourg est l'université modèle. Nicolas se réjouit devant Norov de sa belle tenue, des uniformes tirés à quatre épingles, des petites épées martiales. Jamais de débauche, ni

16. « Dans toute ma carrière je n'ai pas rencontré un pareil imbécile », *ibid.*, t. I, p. 374.
17. Firsov, 1889, p. 559.
18. Ustrjalov, 1, 1892.
19. *Vestnik Evropy,* mai 1907, repris dans Solov'ev, 1914, p. 201.

de beuverie. Tout témoigne de l'attachement au trône [20]. Les autres universités sont moins bien astiquées.

A Kiev, la majorité des étudiants sont des gentilshommes polonais riches et qui vivent entre eux, sans contact avec leurs camarades russes. Ceux-ci sont souvent pauvres, enfants des petits propriétaires de la rive droite du Dniepr. Chez eux, ni esprit de corps, ni curiosité intellectuelle. Ils assistent aux cours par peur de l'appel et du cachot, mais ne travaillent guère. En revanche, ils se conduisent comme des soudards, festoient, font trembler les maisons honnêtes. « L'étudiant type de ce temps, c'est le débauché, l'ennemi public de la police et des réverbères. » Bibikov, le général gouverneur, les y encourage en ces termes :

> « Dansez, Messieurs, tapez la carte *(kartežničajte)*, prenez les femmes des autres, allez voir les filles *(bljati)*, rossez les filles, mais ne faites pas de politique ou je vous chasse de l'université. »

L'esprit junker... [21]

A Kazan', c'est pire. Là règne le *kutež*, la grosse débauche avec ses brutalités, sa grossièreté, son ivrognerie qui va parfois jusqu'à la folie. « Le cercle » des années trente n'existe plus que sous la forme de la bande délinquante. C'est l' « université ivrogne » *(pjannyj universitet)* [22]. L'engourdissement provincial semble à Har'kov avoir vaincu même cette dernière forme de l'indépendance. On se croirait revenu dans les années vingt. Les plus riches viennent en calèche et parlent français entre eux. Les autres se tiennent à l'écart, et les Polonais forment un petit clan. Ils ne manquent pas un bal et ne se réunissent que pour boire et jouer aux cartes. Personne ne prend l'exercice militaire au sérieux. La *marširovka* se fait dans la salle des Actes sous l'œil paternel de l'inspecteur. Comme il y a un assez bon piano dans les locaux de l'université, ces bons jeunes gens en profitent pour apprendre à danser. La réaction de la fin du règne n'arrive qu'amortie dans cette relique de l'ancien temps [23].

20. Ustrjalov, 1892, parle de la *blagonamerennost'* (caractère bien intentionné) de l'université de la capitale.

21. Romanov Slavjatinskij, « Moja žizn i akademičeskaja dejatelnost' », *Vestnik Evropy*, 4, 1903, *cit.* Solov'ev, 1914, p. 190-197.

22. Boborykin, 1929, p. 73. Boborykin donne un tableau très noir de la brutalité et de la grossièreté des mœurs. Il souligne qu'à cette époque il n'y avait pas d'esprit étudiant, ni au sens social ni au sens universitaire, car sous le régime semi-policier il n'y avait aucun milieu où l'esprit de corps pouvait germer. Voir aussi Pypin, 1905. Une des distractions favorites des étudiants consistait à envahir les bordels, à casser le mobilier et à rosser les malheureuses filles.

23. Ljubarskij, « Vospomoninija o Har'kovskom Universitete », *cit.* Solov'ev, 1914, p. 201-206. « On croyait être revenu aux premiers temps de l'empire romain quand des empereurs fous, appuyés sur des prétoriens et sur la racaille, opprimaient ce qu'il y avait de meilleur, tout le développement spirituel de Rome. C'est alors que commencèrent des orgies de la censure dont ceux qui n'ont pas vécu ce temps ne peuvent croire le récit. »

Dans cette débâcle, les professeurs forment le dernier môle de résistance. La grande brimade, la suppression des missions à l'étranger, arrive trop tard. La culture romantique allemande (et pour une moindre part française) a pris racine en Russie. L'évolution des idées est synchrone de part et d'autre de la barrière implantée par l'Etat. Nicolas ne manque pas une occasion de montrer sa méfiance pour les « compagnons des députés français » [24]. Un jour qu'on lui présente en corps l'université de Har'kov, il interroge le curateur, désignant du doigt les professeurs : « Et ceux-là, est-ce qu'ils se conduisent bien ? » Le professeur Stavrovskij, de Kiev, n'ose pas dire dans son cours « République romaine » mais « l'Etat biconsulaire ». En 1850, Širinskij Šahmatov vient en inspection à Moscou, et assiste au cours d'histoire de Solov'ev. Celui-ci avance que les chroniques ayant été transmises dans des recueils, il est difficile de rétablir l'état premier de ce qui appartient à Nestor. Le ministre le convoque aussitôt et répète en hurlant : « Le gouvernement ne peut tolérer cela ! » Interdit de douter, même des chroniques. Interdit de prononcer les mots grecs selon Erasme et non selon la pratique des écoles religieuses orthodoxes.

Mais la répression est plus impressionnante qu'efficace. Un certain nombre de professeurs de philosophie perdent leur chaire avec la suppression de cet enseignement. Mais ils ne se retrouvent pas sur le pavé. Les professeurs bénéficient, depuis 1825, de ce qui manque aux étudiants : les appuis extérieurs. Ils sont liés à la « société ». Il y a une osmose entre la presse et l'université : Pavlov, Pogodin, Kašenovskij, Nadeždin sont tous professeurs [25]. Katkov, chassé de sa chaire, commence immédiatement la plus belle carrière de journaliste du XIXe siècle russe. Cette solidarité permet de courber le dos sans trop d'humiliation et d'attendre patiemment des jours meilleurs. Les professeurs ne se permettent pas la moindre fronde. « Des légions d'espions — écrit, peut-être avec exagération, Nikitenko — étaient attachés au moindre de mes pas. » [26] Granovskij envie la mort de Belinskij, pense un moment s'enfuir, comme Herzen, à l'étranger, et se console, comme tout le monde, en jouant aux cartes. « Nous formions, dit Solov'ev, une église persécutée », et il compare Nicolas à Néron [27]. La différence est qu'ils ne meurent pas et qu'ils ont le loisir de gémir ensemble.

> « Nous tous, jeunes professeurs, nous avions arrêté de nous rapprocher étroitement, de ne rien faire sans mutuel conseil, de nous réunir chez chacun de nous à son tour, le soir, et de discuter. »

24. Solov'ev, *ibid.*
25. Quand on veut fonder un journal, on s'adresse à un universitaire. *Cf.* dans Nikitenko, 1955, t. II, p. 236 : le ministre de l'Intérieur Valuev, conservateur-libéral, demande à Nikitenko de diriger un journal libéral-conservateur gouvernemental. Point de meilleure façade qu'un professeur à l'université de Pétersbourg.
26. Nikitenko, 1955, t. I, p. 477.
27. S. M. Solov'ev (l'historien), cité par Solov'ev, 1914, p. 201-206.

Il reste à la pensée russe le classique refuge des longues soirées sous la lampe autour des tasses de thé.

> « Le malheur, le joug commun rapprochait les hommes et ce rapprochement, cette union, donnait la possibilité de supporter plus facilement l'amertume. Le goût pour la littérature était très fort. Bien que la pensée fût en disgrâce, enchaînée par la censure, les livres, les revues, étaient attendus avec impatience et lus avec avidité. »

Si malaisément que s'opère l'échange intellectuel, et que filtre l'information, l'essentiel est qu'il existe un terrain fécond pour la recevoir ; l'essentiel est qu'il existe en Russie des esprits capables de soumettre à examen la Chronique de Nestor et assez puristes pour tenir à prononcer le grec à la bonne manière. Or, que ce soit Pavlov, à Kiev, « plein de jeunesse, de bonté et de beauté morale », ou Kačenov à Har'kov, ils sont nombreux, les « phares de vérité et de beauté »[28].

Qui venait aux soirées moscovites dont parle Solov'ev ? Katkov, Šestakov, Kudrjavcev, Pekovskij, Leont'ev. Puis encore (après le départ de Herzen), Granovskij vient s'agréger avec son propre cercle : Babst, Cičerin, Kečer. Ainsi se fondent sous la pression qui les écrase l'un et l'autre le cercle modéré, conservateur et orthodoxe de Solov'ev et celui, athée et démocrate, de Granovskij : trêve partielle des slavophiles et des Occidentaux[29].

La grande répression n'est pas, à notre avis, descendue très profond : elle a contraint, mais elle n'a en rien perverti les esprits. Elle n'a même pas pu bloquer la formation d'un milieu intellectuel de grande qualité et qui pense à l'heure de l'Occident. Il y a eu une sorte d'échange de rôle : le centre intellectuel le plus actif se trouvait, au temps du jeune Herzen et de Stankevič, chez les étudiants, lesquels se jugeaient très supérieurs à leurs maîtres[30]. A la fin du règne de Nicolas, il se trouve chez les professeurs ; anciens étudiants des années trente, d'ailleurs. Ils maintiennent dans les universités un foyer de haute culture, que quelques-uns de leurs étudiants restent en mesure d'apprécier malgré le retour partiel, plus spectaculaire peut-être que réel, à la barbarie du corps de garde. Ils sont pour la plupart mis en place dans les années noires[31]. L'essor qui marque le début du nouveau règne tient en bonne partie à la présence simultanée dans les universités russes d'une géné-

28. A. Romanov Slavjatinskij, *in* Solov'ev, *ibid.*
29. Le départ de Herzen, qui va poursuivre tout seul son évolution à l'étranger, favorise la stabilisation politique du groupe de Granovskij et freine sa dérive vers des positions radicales. Granovskij meurt prématurément en 1855.
30. Labry, 1928.
31. Du moins à Moscou (Čičerin, Solov'ev, Eševskij), car à Pétersbourg, la nouvelle génération de professeurs ne prend ses fonctions qu'après 1855.

ration d'universitaires de talent et de quelques promotions d'étudiants pleins d'ardeur. Le désaccord qui les sépare à partir de 1861 vient sans doute de ce que les deux groupes ne sont pas arrivés en même temps : les professeurs avaient éprouvé le poids des institutions russes, avaient appris à distinguer le possible de l'impossible. Les étudiants, sans contact avec leurs aînés ou bien ivres de leur nouvelle liberté, iront tout droit demander le salut à l'utopie.

Que représente l'Université en Russie ?

L'histoire des universités tient une si grande place dans l'historiographie russe qu'on a du mal à se représenter leurs dimensions réelles. On a l'impression que de grandes foules sont impliquées. Mais quand on se penche sur les chiffres, et que l'on découvre à quel point les dimensions du milieu universitaire sont insignifiantes, c'est un autre problème qui se pose : par quel effet de résonance sociale les mouvements qui ont affecté des groupes aussi minuscules ont pu paraître d'importance aussi cruciale à toute la société ?

Dimensions

Donnons la liste des établissements d'enseignement supérieur, dépendant du ministère de l'Instruction publique. Il faut ajouter un certain nombre d'écoles spéciales qui relèvent d'autres administrations. Ce sont des établissements très modestes, qui mènent une vie isolée [32]. Il en est évidemment de même des écoles supérieures militaires. Toute la vie étudiante se concentre dans les universités qui, seules, sont à la fois assez grandes et assez libres pour qu'elle puisse se manifester [33].

ÉTABLISSEMENTS D'ENSEIGNEMENT SUPÉRIEUR DÉPENDANT DU MINISTÈRE DE L'INSTRUCTION PUBLIQUE (1855)

	Personnel enseignant	*Nombre d'élèves*
Université de Saint-Pétersbourg	77	3 659
Moscou	128	
Har'kov	78	
Kazan'	77	
Kiev	94	
Dorpat	74	

32. Sauf l'Académie médico-chirurgicale de Pétersbourg, qui dépend du ministère de la Guerre et qui tient lieu de faculté de médecine. Elle a le volume de la faculté de médecine de Moscou.
33. En 1856, il y a 4 168 étudiants d'université et 314 élèves dans les autres établissements d'enseignement supérieur. KNJAZKOV I SERBOV, 1910, p. 144.

Institut pédagogique	44	112
Lycée Richelieu	35	
Demidov	14	254
Prince Bezborodko	21	
École vétérinaire de Dorpat	17	102
Har'kov	15	
Total	*674*	

(*ŽMNP,* 1856, t. 90.)

AUTRES ÉTABLISSEMENTS

	Ville	*Date de fondation*
Institut des mines	Saint-Pétersbourg	1773
Académie militaire médico-chirurgicale	Saint-Pétersbourg	1799
Institut forestier	Saint-Pétersbourg	1803
Institut des voies de communication	Saint-Pétersbourg	1805
Académie commerciale	Moscou	1810
Lycée Alexandre	Saint-Pétersbourg	1811
Institut Lazarev	Moscou	1815
Institut technologique	Saint-Pétersbourg	1828
École technique supérieure	Moscou	1830
École de droit	Saint-Pétersbourg	1835
Institut des ingénieurs civils	Saint-Pétersbourg	1842

(JOHNSON, 1950, p. 288.)

Une université moyenne, dans ses quatre facultés d'histoire et philologie, de droit, de physique et mathématiques et de médecine, possède pour tout personnel environ 39 professeurs titulaires (dits professeurs ordinaires), 16 maîtres de conférences (professeurs extraordinaires) et entre 25 et 30 *docent*. Ajoutons 4 lecteurs de langues étrangères, tous étrangers, le bibliothécaire, quelques administrateurs subalternes et c'est tout [34]. Mais c'est le nombre des étudiants qui surprend. Les mémoires nous parlent d'immenses assemblées, de manifestations gigantesques : il y a une amplification presque médiévale ; les anciens chroniqueurs disaient « cent mille » pour une bataille opposant quelques centaines de chevaliers.

En 1836, les étudiants sont un peu plus de deux mille, pour toute la Russie. Ils ne dépassent les trois mille qu'en 1844, pour atteindre quatre mille en 1847. Viennent alors les mesures du *numerus clausus* qui font fondre les effectifs continûment jusqu'en 1852. Il ne reste plus à cette date que 3 112 étudiants. Puis les effectifs remontent lentement, avec un saut assez net entre 1856 et 1857 : gain, cette année-là,

34. On trouve l'état officiel du personnel des universités en 1863 dans la livraison d'août du *ŽMNP,* 1863. L'université de Dorpat, outre les facultés sus-nommées, comprend aussi une faculté de théologie, sans doute luthérienne, et l'université de Saint-Pétersbourg, une faculté des langues orientales.

de plus de 10 %. Les étudiants sont alors 4 714. Mais sept ans plus tard, ils ne sont que 4 323. L'afflux des étudiants, qui frappa tant les contemporains d'Alexandre II et qui inquiéta ses ministres, ne fait guère plus que combler les vides créés par la grande peur qui sévit en 1848. On prit pour un accroissement numérique ce qui était un agrandissement du rôle social. Bien plus, il me semble que l'Université, loin de s'ouvrir au début du règne, se ferme relativement au nombre des candidats possibles à l'enseignement universitaire. Il y a un contraste marqué entre la croissance régulière des effectifs des gymnases et la stagnation de l'effectif universitaire. Le premier représente quatre fois le second en 1848, sept fois en 1864, près de dix fois en 1875[35].

Si on a la curiosité de prolonger ces courbes au-delà de la période que nous étudions, nous nous apercevons que l'âge de la grande réaction maudite par les universitaires qui écrivirent l'histoire de la Russie fut justement celui où ce malthusianisme universitaire prit fin. Les universités furent peut-être moins libres sous Alexandre III, mais elles formaient deux fois plus d'étudiants. Il faut rapprocher cet essor de la grande croissance économique des années 1880. On pourrait alors formuler l'hypothèse suivante : l'issue « technique » offerte à la jeunesse par l'ouverture de l'Université, sous Alexandre III, tout autant que la répression, n'explique-t-elle pas cette relative dépolitisation dont se plaignent des écrivains révolutionnaires ? L'importance politique des universités ne dépend pas de leur taille mais de leur intégration bonne ou mauvaise dans le corps social.

Il faut donc nous représenter l'Université russe comme un établissement bien moins peuplé que le moindre institut d'études supérieures que nous connaissons de nos jours. Moscou seul abrite plus de mille étudiants, les autres universités n'en possèdent qu'un nombre qui varie entre quatre cents et sept cents[36]. Mais la portée d'un drame est indépendante de la dimension de la scène où il se joue.

Il est certain que, par rapport aux autres pays d'Europe, les universités russes sont particulièrement exiguës. Heidelberg et Göttingen ont,

35. Evolution comparée du nombre des élèves des universités et des gymnases :

	Universités	*Gymnases* (masculins)
1836	2 016	15 476
1848	4 566	18 911
1854	3 551	17 809
1864	4 323	28 202
1875	5 679	51 097
1885	12 929	93 109

(MILJUKOV, 1899, p. 347.)

36. Voici, pour 1855 et 1865, les effectifs comparés des différentes universités :

	Pétersbourg	*Moscou*	*Kiev*	*Kazan'*	*Har'kov*	*Dorpat*
1855	399	1 203	616	340	485	618
1865	785	1 741	555	413	588	560

tout comme Pétersbourg et Kazan', moins d'un millier d'étudiants. Mais Berlin en a plus de deux mille et Munich presque autant. La Prusse compte en 1873 deux fois plus d'étudiants que la Russie [37]. En 1860, il y a plus de trente mille inscrits dans les universités françaises, six fois plus que dans tout l'empire [38]. Mais on dirait que leur insignifiance politique est proportionnelle à leur dimension.

2. CARACTÈRE DE L'ENSEIGNEMENT UNIVERSITAIRE

Les maîtres

A Moscou, le nouveau règne ne marque pas une rupture dans la composition du corps professoral. La génération hégélienne de Redkin et Granovskij disparaît, mais la relève est assurée par Solov'ev, Buslaev Čičerin, vastes et prudents esprits, qui, aux yeux de leurs étudiants tout au moins, semblent réticents aux nouveautés. Il n'en est pas de même à Kazan', Kiev, Pétersbourg où se produit l'arrivée d'une nouvelle vague professorale, passionnément attendue de la nouvelle vague étudiante. C'est à Pétersbourg qu'on l'observe le mieux.

En 1858 encore dominent les professeurs à l'ancienne mode (*starogo zakala*), ennuyeux et distants ; les facultés de droit et d'histoire et philologie surtout paraissent en retard. Les professeurs de sciences, particulièrement Lenc, Cebyčev, Somov, sont des savants éminents et respectés, mais ce ne sont pas eux qui donnent le ton. Historiens et juristes pétersbourgeois méprisent leurs collègues de Moscou, taxent Granovskij et Buslaev de dilettantisme, dominent de haut leurs jeunes collègues « progressistes » [39]. Trois ans plus tard, le rapport des forces est complètement changé. A la faculté de droit, Kavelin a fait la brèche, Stasjulevič, Suhomlinov, Pypin, Kostomarov viennent occuper les postes vacants. Du côté des scientifiques, c'est la promotion de Sokolov, Beketov et de Mendeleev.

Le plus populaire de ces nouveaux professeurs est Kostomarov, « l'inoubliable Kostomarov » qui, entre 1859 et 1861, se chargera du cours d'histoire. Son cours qu'il prononce debout, avec sa voix de femme, sans notes, mais avec un art de conteur extraordinaire, est « l'assemblée générale » de l'université et de la « société » de Pétersbourg. « On buvait ses paroles. » « On entendait voler les mouches. » [40] Et pourquoi ce succès ? Un ancien étudiant nous répond sans hésiter [41] : à cause du

37. Le Brockhaus et Efron, t. 68, p. 774, donne le chiffre suivant pour les universités de Prusse en 1853 : 6 491 étudiants. Berlin, à cette date a 2 166 étudiants, Göttingen, 669, Heidelberg, 752, Munich, 1 893.
38. Selon une enquête du *ŽMNP*, 1863, t. IV, p. 18, il y a en France 13 000 étudiants inscrits en droit, 12 500 en lettres, 6 000 en médecine.
39. PANTELEEV, 1958, p. 137-140.
40. OSTROGORSKIJ, 1895, p. 54-60.
41. PANTELEEV, 1958, p. 191 et ss.

contenu critique de son enseignement ; les autres professeurs d'histoire sont « officiels », Solov'ev « parle trop de l'Etat et pas assez des masses populaires ». On cite avec admiration cette apostrophe de ce premier nationaliste ukrainien, d'un niveau de réflexion modeste pourtant :

> « On construit des chemins de fer, on donne de l'instruction aux masses, on améliore les conditions matérielles ; mais la question importante reste celle-ci : les différences demeurent-elles qui séparent les Grands Russes des Petits Russes ? »

C'est ce qu'on appelle le « début de l'attitude critique envers l'histoire russe ». Critique éthique à la Michelet, mais non critique scientifique au sens de Fustel.

Le professeur Spasovič était terne et ennuyeux, mais il est très écouté parce que son cours est rempli de points de vue « humano-progressistes ». Le juriste Kavelin était sans doute superficiel, mais cela ne comptait pas, puisque ces matières allaient être incessamment bouleversées par des réformes ; il n'est pas non plus un brillant orateur, mais son « rôle social »[42] est incomparable. Il se veut vraiment le directeur de conscience de la jeunesse universitaire ; il est un peu plus que libéral, puisqu'il collabore au *Sovremennik* plus volontiers qu'au *Russkij Vestnik* ; il connaît beaucoup de monde dans les sphères gouvernementales et il est souvent consulté, notamment lorsque l'on songe à donner un statut légal aux corporations étudiantes ; il conduira l'opposition professorale au ministre Putjatin, en 1861. Il est anxieux de popularité. Il invite libéralement les étudiants chez lui, il a même pour eux son jour, le dimanche matin. La crise de 1861 sera un désastre pour Kavelin, qui y perdra son audience auprès des autorités ministérielles et son autorité sur son peuple étudiant.

On aime aussi beaucoup Pavlov (qui fait carrière à Kiev puis à Pétersbourg) et Blagoveščenskij, « qui ne se perd pas dans les détails comme les professeurs de son temps »[43]. De tous les souvenirs d'étudiants (sauf, il est vrai, celui de Ključevskij, qui sut apprécier la grandeur d'un Solov'ev), il ressort que le professeur populaire est celui qui réalise une sorte de communion entre son auditoire et lui, fondée sur les moyens de l'éloquence et sur une communauté d'inspiration morale[44]. Les cours ne sont pas des exposés. Aucun professeur ne pratique la stricte information. Leurs étudiants leur demandent non pas de communiquer un savoir, mais de partager une émotion commune, de leur apporter une caution morale, de leur proposer un modèle d'humanité. Les années

42. Panteleev, 1958, p. 199-202.
43. Ostrogorskij, 1895, p. 76.
44. *Vospominanija studenčeskoj žizni,* 1899, p. 2-20. Intéressant recueil de souvenirs d'étudiants moscovites des années soixante (Ključevskij, Obninskij, Sverbeev, Solov'ev, Kirpičenko, Golcev, Buslaev), dont quelques-uns firent ensuite carrière.

soixante sont souvent appelées l'âge d'or des universités russes : mais d'universités sentimentales, oratoires, parcourues d'ondes affectives ; elles évoquent le Collège de France de Michelet, de Quinet et de Mickiewicz.

Les études

A en croire les horaires, les universités russes ont le régime strict d'une grande école[45]. Les cours ont lieu tous les jours, presque continûment de 9 heures à 2 heures de l'après-midi. L'horaire hebdomadaire comporte entre dix-sept et trente heures de cours, et l'assistance y est, en principe, obligatoire. Il y a quatre années d'études, quatre *kurs* dans chaque faculté (sauf la faculté de médecine qui répartit son enseignement sur cinq ans) ; un examen de passage est obligatoire à la fin de chaque année d'études. Il est nécessaire d'obtenir la note de trois (sur un maximum de cinq) à toutes les matières, sinon il faut repasser l'examen dans sa totalité. On ne peut rester plus de deux ans dans un *kurs*, plus de six années au total dans l'université, sous peine d'élimination. La dernière année, l'étudiant se présente à l'examen final de diplôme, qui dans les facultés, sauf celle de médecine, lui donne le titre de *kandidat*. Il ne peut faire plus de trois tentatives. S'il échoue, il reçoit le titre « d'étudiant effectif » (*dejstvitel'nyj student*).

Il semble donc que la scolarité soit assez sévère et repose sur un système d'éliminatoires dangereux.

L'examen de passage annuel répand la terreur. L'étudiant a l'impression de « jouer sa vie sur une carte ». Hudjakov écrit de Sibérie :

> « Les examens m'étaient si pénibles que maintenant encore, au bout de cinq ans pendant lesquels je suis passé par tant de sensations si fortes et si diverses, mes mauvais rêves ne me montrent jamais ni Murav'ev, ni la commission d'enquête, ni aucun autre

45. A l'université de Moscou, le nombre d'heures de cours hebdomadaire est le suivant pour les quatre facultés (1861) :

Année	*Hist.-philol.*	*Physique*	*Droit*	*Médecine*
1re	23	21	28	25
2e	21	22	25	21
3e	30	20	20	36
4e	30	17	24	35
5e				45

(CGIAL, F. 733, op. 38, n° 59, p. 10-19.)

Voici par exemple comment se répartissaient les cours à la faculté d'histoire et de philologie de l'université de Har'kov, en 1863, 1re année : théologie, 2 h., histoire ecclésiastique, 2 h. ; littérature grecque, 3 h. ; littérature latine, 2 h. ; histoire de la littérature russe ancienne, 2 h. ; exercices pratiques de littérature russe, 1 h. ; exercices pratiques de rhétorique polonaise, 2 h. ; histoire russe, 3 h. ; histoire du Moyen Age, 3 h. ; grammaire de vieux slave, 2 h. ; allemand, 3 h. ; anglais, 3 h. ; français, 3 h. ; italien, 3 h. Au total 34 h. en première année, 36 en deuxième, 37 en troisième et 30 en dernière année. (CGIAL, F. 733, op. 147, n° 191, p. 64-65).

fléau de mon existence, mais toujours et uniquement les examens, tant a été grande, profonde et angoissante l'impression qu'ils ont laissée dans mon esprit. »[46]

Mais on ne peut accorder une entière créance à Hudjakov. Les statistiques montrent au contraire que le déchet aux examens est faible[47]. Sur une période de dix ans, de 1852 à 1862, le pourcentage des étudiants reçus au grade de *kandidat* atteint, dans les six universités russes, 69 % dans les facultés d'histoire et philologie ; 66 % dans celles de physique et mathématiques ; 57 % dans celles de droit. Il n'y a rien là de terrifiant. Le procès de déclassement qui touche un grand nombre d'étudiants ne peut être attribué à l'effet mécanique d'une sélection trop sévère.

Le professeur Nikitenko fait passer les examens au printemps 1861. Il note dans son journal :

« Il faut rendre aux jeunes gens cette justice qu'ils passent très mal leurs examens. Ils ne savent rien ; qu'ignorent-ils ? L'histoire de leur patrie. Et quand ? Lorsqu'ils bavardent et ratiocinent sur les diverses réformes gouvernementales. Et l'enseignement de qui ? Du plus populaire des professeurs (Kostomarov), qu'ils honorent de cris approbatifs et d'applaudissements. Et qui sont ces ignorants ? Les étudiants de la faculté d'histoire et de philologie, chez qui la science passe pour être le plus en honneur et qui sont réputés pour être les meilleurs étudiants, je ne sais pourquoi. »[48]

Réflexion bougonne d'examinateur. Mais d'autres témoignages font sentir que ces étudiants, venus parfois de si loin pour entrer dans le « temple de la science » *(hram nauki),* ne jugent pas nécessaire à son culte de pâlir sur les manuels[49]. On y entre pour orner son esprit. N'importe qui peut, jusqu'aux troubles de 1861 tout au moins, assister à n'importe quel cours. Ils sont publics, et dans les amphithéâtres se coudoient des jeunes

46. HUDJAKOV, 1882, p. 62. *Cf.* aussi SVINYN, 1890, p. 117-119.
47. Pourcentage des étudiants reçus au grade de *kandidat*, calculé sur la moyenne des 10 années, 1853-1862 :

	Hist.-phil.	*Phys.-math.*	*Droit*
Saint-Pétersbourg	97	81	83
Moscou	61	74	45
Kazan'	72	57	58
Har'kov	64	54	38
Kiev	62	55	44
Dorpat	55	74	73
Moyenne	*69*	*66*	*57*

(CGIAM, F. III otdelenija, eks I, n° 277, č 5, p. 39.)

48. NIKITENKO, 1955, t. II, p. 184.
49. OSTROGORSKIJ, 1895, p. 58-61.

gens, des jeunes filles même et des vieillards chenus. Comme il n'y a pas de séparation entre les facultés, beaucoup de physiciens ou de *mediki* accourent au cours de Kostomarov ou de Kavelin. Les étudiants sont interchangeables et écoutent qui bon leur semble. Point d'assiduité exigée. Les manuels dispensent de se déranger et les professeurs indiquent eux-mêmes le titre du livre sur lequel portera l'examen[50]. A la fin de 1860, l'Université est devenue une grande attraction. L'uniforme ayant été abandonné, on ne distingue plus, dans le public, les étudiants des autres. On y voit des séminaristes catholiques, des fonctionnaires, des officiers qui appartiennent aux grandes écoles militaires, des littérateurs connus. Le cours de Kostomarov est une conférence mondaine. Un jour, on vit prendre place sur les bancs le président de l'Académie des Beaux-Arts, accompagné de toute sa famille, des professeurs des autres facultés, et même un officier du corps des gendarmes, en uniforme, ce qui n'indisposa personne[51]. C'est une vie d'amateur que mène l'étudiant Sorokin, partagée entre la société des camarades de son cercle, les salons des littérateurs, les concerts de bienfaisance, les plaisirs de l'amour :

> « Avec un horaire aussi varié, on ne pouvait pourtant dire que nos occupations scientifiques étaient entièrement délaissées. A vrai dire, rentrés chez nous, nous ne nous asseyions presque jamais devant les manuels ni ne révisions les cours de nos professeurs. Mais les cours eux-mêmes, surtout ceux de certains de nos maîtres, nous les suivions très assidûment et de tout notre cœur. De plus, nous lisions beaucoup d'ouvrages sérieux, qui se rapportaient directement ou indirectement à notre étude, nous discutions et nous jugions avec feu de nos lectures, digérant encore malaisément toute la sagesse philosophique, tâchant de l'assimiler, néanmoins, tant bien que mal, et surtout de développer notre intelligence. »[52]

De fait, les étudiants ont souvent l'esprit ouvert et curieux. Un vieux professeur, lorsqu'il compare ses élèves de 1861 à ceux de 1899, estime que ces derniers savaient peut-être mieux le programme, mais que

> « leur culture générale, leur connaissance de l'histoire contemporaine, de la littérature européenne et de la signification des faits sociaux nouveaux est extrêmement faible »[53].

Dans l'ensemble, le niveau intellectuel aurait baissé et il en propose une explication : à l'époque de la réforme, les élèves des gymnases ne pensent que très rarement à recevoir une instruction supérieure et se

50. Kostomarov indique le *Manuel d'histoire russe* de Solov'ev, Stasjulevič, *L'histoire de la civilisation en Europe* de Guizot, etc. Ostrogorskij, *ibid.*
51. Panteleev, 1958, p. 214.
52. Sorokin, 1906, p. 265.
53. Rennenkampf, 1899, p. 48.

contentent facilement d'une situation de commis, de clerc de chancellerie. Seuls les meilleurs de chaque classe tentent leur chance. Plus tard, le diplôme universitaire est devenu la clé de n'importe quelle situation. Même les moins doués s'acharnent. Mais le vieux professeur juge un homme de son temps qui accordait moins de valeur à l'acquisition d'une technique — principale fonction des universités modernes — qu'au développement éthique et esthétique de la personnalité. Par là les universités montrent, en 1860 encore, leur caractère traditionnel. Un jeune noble de province pouvait écrire :

> « En ces temps bénis, l'instruction universitaire n'était pas comme aujourd'hui une nécessité aussi impérieuse et inévitable. Etre du rang des heureux élus, c'était comme de savoir le français dans un salon à la mode. En bref, on la regardait comme un luxe duquel les gens, dont le goût n'était pas trop raffiné, pouvaient aisément se passer. »[54]

Ce témoignage suggère la coexistence de deux publics bien différents ; l'un voit dans l'Université l'institution mondainement prestigieuse, l'autre y voit le degré enfin saisi de l'échelle sociale. Un étudiant, à la rentrée du 1er septembre 1861, aperçoit dans un coin de l'amphithéâtre un groupe compact de jeunes gens vêtus de noir, l'air pauvre et timide, mais qui prennent les bonnes places, ouvrent leurs cahiers et débouchent leurs bouteilles d'encre[55]. Ce sont les séminaristes qui viennent de recevoir le droit de s'inscrire en faculté et qui sont brûlants d'apprendre. Mais on imagine facilement qu'ils seront vite gagnés par l'ambiance générale de libre société académique et que leurs camarades qui ont gardé l'idéal aristocratique leur donneront promptement le sentiment de la distance qu'il convient d'observer envers le prosaïque bachotage. Par là se maintient l'esprit universitaire d'avant la réforme.

L'amateurisme distingué des uns, le dépaysement, les difficultés matérielles et psychologiques des autres convergent au même point : une indifférence presque orientale pour les acquisitions positives du savoir qui se mélange curieusement à l'exaltation de la Science mais en tant que mythe salvateur.

Le contraste est vif, dans les frontières mêmes de l'empire, entre les universités russes et Dorpat, plus qu'à demi allemande. L' « Athènes de Livonie » est indifférente au monde extérieur, et l'étudiant vit dans le cercle étroit de l'enceinte universitaire et de sa corporation, ce qui est insupportable à l'étudiant russe. Mais il est plus libre et mieux instruit[56]. Point de caporalisme, point d'obligation d'aller à la messe et de porter tricorne, même sous Nicolas. Les examens sont plus sérieux et moins scolaires. A Pétersbourg, l'étudiant est debout devant l'examina-

54. Svinyn, 1890, p. 2-3.
55. Kirpičnikov, *in Vospominanija studenčeskoj žizni*, 1899, p. 144.
56. Boborykin décide de se faire transférer de Kazan' à Dorpat. « Dans l'idée de

teur et répond à de brèves questions ; à Dorpat, l'examen est une conversation prolongée. L'atmosphère des études est quiète, ordonnée, très au fait des derniers progrès de la science allemande[57]. Venant de Dorpat et s'inscrivant à Pétersbourg, Boborykin est stupéfait :

> « Tout de suite me sauta aux yeux que le niveau des étudiants qui se présentaient aux examens était terriblement bas. Je ne pouvais pas ne pas voir le contraste criant entre la si mauvaise préparation des étudiants et cet ' esprit nouveau ' qui commençait vers ces années soixante à souffler dans les universités. »[58]

Ces affranchis *(frantiki),* qui ne pouvaient même pas construire correctement une phrase, osent marchander leurs notes ! « Non, monsieur le professeur, il me faut au moins un quatre. » Vraiment, en tant qu'établissement d'instruction, l'Université russe ne marche pas très bien.

Répond-elle aux besoins de la Russie ?

3. L'UNIVERSITÉ ET LA FORMATION DES CADRES

Indigné des désordres produits par les étudiants de l'automne 1861 et de l'égocentrisme dont faisait preuve le milieu universitaire, le professeur Nikitenko, à la veille de la retraite et formé à l'antique discipline impériale, notait dans son journal : « L'Université existe pour la Russie et non la Russie pour l'Université. »[59] Il voulait rappeler ainsi que l'Université restait un « service » et non la serre protégée de l'humanisme transcendental. Un mois plus tard, il découvre cette vérité :

> « Trojnickij m'a rapporté... un fait statistique curieux, tiré par lui des sources officielles. Sur les 80 000 fonctionnaires de l'empire, il apparaît chaque année 3 000 postes vacants. Or, dans les deux ou trois ans qui ont suivi 1857, 400 individus sont sortis chaque année de l'université, des lycées et de l'Ecole de droit (les étudiants en médecine ne sont pas comptés). Conclusion : combien est petit le nombre des personnes éduquées pour occuper les postes du service de l'Etat. Je fus stupéfait. »[60]

Et encore, Nikitenko n'envisage que le débouché traditionnel du *Činovničestvo.* La réforme de 1861, lançant la Russie sur la voie d'une

---

mon départ pour Dorpat, l'idée de liberté entrait pour une bonne part, incontestablement, mais de liberté académique au sens allemand du terme. Je voulais étudier sérieusement et non faire l'écolier. » BOBORYKIN, 1929, p. 82.

57. *Ibid.,* p. 108-110. Boborykin décrit le régime de Dorpat pour les années 1856-1857.

58. *Ibid.,* p. 183. Il décrit l'atmosphère de Saint-Pétersbourg en 1861.

59. NIKITENKO, 1955, t. II, p. 228.

60. *Ibid.,* p. 243.

modernisation capitaliste, va créer un appel de cadres industriels, médicaux, juridiques. Les universités sont incapables d'y répondre. Considérons les tableaux suivants :

TABLEAU I

Promotions de sortie totalisées de six universités, pour les années 1853-1862 (dix ans) : répartition par université et par faculté

Facultés	*Pétersbourg*		*Moscou*		*Kazan'*		*Har'kov*		*Dorpat*		*Kiev*	
	*K**	*Ds***	*K*	*Ds*	*K*	*Ds*	*K*	*Ds*	*K*	*Ds*	*K*	*Ds*
Histoire et philologie	113	3	70	44	18	7	28	16	45	37	69	43
Physique et mathématiques	179	43	232	83	25	19	77	65	62	22	75	61
Droit	573	116	232	289	100	73	78	129	128	48	88	113
Langues orientales et théologie	54	12	—	—	—	—	—	—	35	176	—	—
Total	*919*	*174*	*534*	*416*	*143*	*99*	*183*	*210*	*270*	*283*	*232*	*217*
Total général	1 093		950		242		393		553		449	

(Manquent les données pour la faculté de médecine.)

* *Kandidat.*
** *Dejstvitel'nyj student,* étudiant effectif.

(*ŽMNP*, 1863, t. 118.)

TABLEAU II

Promotions de sortie des étudiants de six universités : total pour les années 1853-1862 (dix ans) : répartition par faculté

Facultés	*K*	*Ds*
Histoire et philologie	343	150
Physique et mathématiques	650	293
Droit	1 199	768
Total	2 192	1 211
Total général (non compris les facultés de théologie et des langues orientales)	3 403	

(Manquent les données pour la faculté de médecine.)

(*ŽMNP*, 1863, t. 118.)

Il est permis de tirer de ces tableaux les conclusions suivantes :

1. Tableaux I et II : Sur une période de dix ans, seules les deux plus grandes universités de l'empire ont été capables de former en moyenne une centaine de diplômés par an. Les autres universités ne dépassent pas la cinquantaine.

TABLEAU III

Promotions de sortie de cinq universités (Saint-Pétersbourg, Moscou, Kazan', Har'kov, Dorpat), par année

Année	*K*	*Ds*	*Total*
1853	112	108	*220*
1854	175	99	*274*
1855	191	137	*328*
1856	201	156	*357*
1857	174	144	*318*
1858	204	132	*336*
1859	182	125	*307*
1860	305	106	*411*
1861	313	195	*508*
1862	424	197	*621*
Total général	*2 281*	*1 399*	*3 680*

(*ŽMNP*, 1863, t. 118.)

TABLEAU IV

Promotion de juristes et de scientifiques dans les universités de Moscou et de Saint-Pétersbourg, de 1853 à 1862

Année	*Moscou*		*Saint-Pétersbourg*	
	Juristes	*Scientifiques*	*Juristes*	*Scientifiques*
1853	14	6	20	11
1854	15	14	56	9
1855	45	24	60	15
1856	58	29	44	19
1857	42	23	48	10
1858	45	24	60	11
1859	49	35	33	14
1860	73	40	83	41
1861	91	52	109	33
1862	88	58	176	59

(On a totalisé les *kandidats* et les *étudiants effectifs*.)

(*ŽMNP*, 1863, t. 118.)

2. Si l'on met à part les étudiants en médecine, près de la moitié des étudiants sont sortis de la faculté de droit. Puis viennent les étudiants de la faculté de physique et de mathématiques, enfin ceux d'histoire et de philologie. Le débouché principal reste l'administration ou les nouvelles professions ouvertes par la réforme judiciaire en gestation. Les

promotions d'enseignants (facultés d'histoire et de philologie) et de scientifiques (faculté de physique et de mathématiques) sont très maigres.

TABLEAU V
Nombre d'étudiants et d'étudiants libres dans les universités, 1836-1862

Année	*Pétersbourg*	*Moscou*	*Kazan'*	*Har'kov*	*Dorpat*	*Kiev*	*Total*
1836	299	441	191	332	536	203	*2 002*
1837	385	611	170	315	563	263	*2 037*
1838	389	677	208	383	530	289	*2 446*
1839	400	798	225	391	525	126	*2 465*
1840	433	932	237	468	540	140	*2 740*
1841	503	925	275	451	504	200	*2 858*
1842	459	933	316	447	471	258	*2 887*
1843	557	836	359	410	484	320	*2 966*
1844	627	835	406	441	526	403	*3 238*
1845	—	—	—	—	—	—	—
1846	700	1 099	418	486	574	549	*3 826*
1847	733	1 198	368	523	568	608	*3 998*
1848	731	1 168	325	525	604	663	*4 016*
1849	503	902	303	415	544	579	*3 256*
1850	387	821	309	394	545	553	*3 018*
1851	—	—	—	—	—	—	—
1852	358	861	321	443	607	522	*3 112*
1853	383	975	370	415	634	606	*3 443*
1854	379	1 061	366	457	613	675	*3 551*
1855	399	1 203	340	483	618	616	*3 659*
1856	463	1 456	322	453	573	881	*4 348*
1857	716	1 725	353	459	555	906	*4 714*
1858	848	1 880	348	422	542	964	*5 004*
1859	—	—	—	—	—	—	*5 555*
1860	1 278	1 653	411	512	540	1 049	*5 443*
1861	812	1 560	377	639	531	945	*4 864*
1862	409	1 744	344	713	537	1 062	*4 909*

(*ŽMNP*, 1863, p. 391.)

3. La courbe des promotions de sortie, sur une période de dix ans, stagne ou oscille faiblement jusqu'en 1859. Cet arrêt dans la croissance reflète la régression de la fin du règne précédent. Il faut en effet au moins quatre ans pour que la libéralisation de l'entrée à l'Université se décèle dans le tableau des promotions de sortie. Celles-ci doublent entre 1858 et 1862. Mais elles restent faibles et le mouvement ascendant se ralentit ensuite durablement.

4. Pour les dix ans considérés, on note un parallélisme remarquable des effectifs des facultés juridiques et scientifiques. La perspective de la réforme n'a pas, apparemment, influé sur le choix d'une faculté par les étudiants. L'engouement pour les sciences naturelles, corrélatif au nihilisme, n'a pas attiré vers la faculté de physique et de mathématiques plus que le contingent normal. Il n'a été qu'une mode n'impliquant nullement un engagement actif et ne déterminant pas le choix d'une carrière.

5. Les chiffres cités permettent-ils de répondre à cette question capi-

tale : y a-t-il en Russie une surpopulation étudiante ? Est-elle responsable de la formation de la mentalité *intelligent* ?

C'est une idée déjà ancienne. La Russie, écrivait Leroy-Beaulieu, « possède une sorte de prolétariat intellectuel ». Elle fait, plus encore que la France, l'Allemagne, partie de ces pays « que la brusque diffusion d'une instruction souvent mal équilibrée menace d'une sorte de déclassement social ». L'empereur, les assemblées provinciales, les riches particuliers ont fondé à l'envi de nombreuses bourses de jeunes gens et de jeunes filles près des collèges et des universités.

> « Ces fondations, multipliées par la vanité, sont souvent à peine suffisantes pour faire vivre les jeunes gens qui en bénéficient ; mais c'est là leur moindre défaut. Afin de prévenir tout déclassement, il faudrait qu'à chaque bourse correspondît une position assurée. Or il est loin d'en être ainsi. Les jeunes gens, instruits aux frais du gouvernement ou de la société, voient fréquemment les défiances du pouvoir, auquel ils doivent leurs études, leur fermer l'entrée des carrières publiques. »[61]

Tout récemment, Gerschenkron portait un jugement encore plus net :

> « Le retard dans le développement des formes modernes de gouvernement, c'est-à-dire le maintien du régime autocratique et l'absence d'une arène politique normale, signifiait que les intellectuels russes étaient exclus d'une participation active aux problèmes pratiques. Ainsi, ils étaient poussés vers la pensée abstraite qui, non tempérée par le contact avec la réalité, prenait la forme d'un radicalisme croissant et le radicalisme de la pensée tournait à son tour en radicalisme d'action... les ' nihilistes ' de Pisarev étaient des hommes intéressés par l'étude des sciences naturelles. Ce n'était pas la faute du modéré quoique turbulent Pisarev si le retard politique de la Russie dérivait les énergies de sa jeunesse vers d'autres canaux et si les nihilistes, au lieu de devenir des utilitaristes benthamiens du point de vue intellectuel, et des directeurs d'usines de produits chimiques ou de hauts fourneaux du point de vue de la pratique, employaient en fait leurs connaissances scientifiques à confectionner des bombes pour servir à des assauts terroristes contre le gouvernement. »[62]

En somme, pour Leroy-Beaulieu et Gerschenkron, le schéma est le suivant : la Russie, sur le plan économique et politique, est un pays retardataire. L'Université est une importation du monde moderne, créée

61. Leroy-Beaulieu, 1898, t. II, p. 537.
62. Gerschenkron, 1955, p. 36-37.

ex nihilo, inadéquate à la société où elle se trouve enclavée. Tout se passe comme s'il n'y avait pas de « marché » pour l'étudiant russe en Russie. C'est en ce sens qu'il y aurait eu une surpopulation d'étudiants. Gerschenkron semble suggérer que c'est parce que les étudiants ne peuvent s'employer dans une grande industrie chimique absente qu'ils se rejettent sur l'artisanat des bombes à la dynamite. Encore ne faudrait-il pas relier trop mécaniquement le sous-développement russe au déchet excessif de l'enseignement supérieur. Il semble qu'à cette chaîne causale il manque un chaînon : le chaînon psychologique. Car, enfin, il y avait objectivement du travail pour tous. Ces infimes promotions de diplômés ne suffisaient pas à combler les vides que la retraite ouvrait normalement dans la fonction publique. Il y a pénurie chronique de cadres industriels et commerciaux, et l'on est obligé d'en faire venir de toute l'Europe. Quand un étudiant abandonne la perspective révolutionnaire, il n'a aucune peine à se recaser dans de confortables postes de direction, revînt-il du bagne ou de la déportation. L'étudiant chômeur est un chômeur volontaire.

Mais alors il faut déterminer pourquoi l'étudiant se détourne de la vocation séculière. Ce qui paraît à son camarade américain l'aventure exaltante du pionnier lui semble l'exil et l'ennui, l'enterrement dans un trou de province. Ce qui est loué en Occident comme carrière réussie lui semble entaché du plus déshonorant arrivisme. Nous butons encore une fois sur le paradoxe ; l'Université, école de cadres pour la Russie, dégoûte ceux-ci de la réalité russe. Ces étudiants, si nécessaires à l'empire, s'entassent inutilement dans les villes, deviennent les « étudiants éternels » (*večnye studenty*), figurants tenaces des nouvelles de Tchekhov. L'enseignement universitaire favorisait, nous l'avons vu, un tel état d'esprit. Plus important que l'enseignement est le milieu qui le reçoit. Nous ne pouvons comprendre l'échec de l'Université sans connaître plus avant son partenaire : la société étudiante.

4. PRESTIGE DE L'UNIVERSITÉ

L'Université russe avait été mise par l'Etat sur un très haut pied. Les bâtiments qui l'abritent sont l'ornement de la ville. A Pétersbourg, c'est le palais des Douze Collèges de Pierre le Grand, longue enfilade de pavillons rouges rehaussés de blanc. Devant court un étroit jardin. Avec sa salle des Actes, beau spécimen de décoration Empire, ses parties utilitaires et ses interminables couloirs, qui prennent toute la longueur de l'édifice, elle fait penser, mélange de palais et de caserne, à l'Hôtel des Invalides. L'université de Moscou a été magnifiquement reconstruite par Gilardi, au lendemain de l'incendie de 1812. Elle étend, près du Manège, ses ailes en équerre, son perron surélevé, sa colonnade, sa coupole surbaissée. Elle est moins rébarbative que les Douze Collèges pétroviens ; il y a plus d'espace à l'intérieur, plus de pompe. A Kazan', c'est l'inévitable bâtisse néo-classique, dans le style provincialisé de Quarenghi, avec son fronton triangulaire, ses deux ailes longues et basses, trouées de fenêtres carrées ; tout de même un des beaux bâtiments d'une ville de bois. Il y a quelque chose de révélateur dans le contraste entre l'allure majestueuse des édifices et l'intérieur souvent mesquin. Les auditoria carrés, meublés de gros pupitres, évoquent les salles de classes de nos collèges de jésuites. Dans un coin de l'université de Moscou, au détour d'un escalier, on aperçoit le *karcer*, le « cachot », en fait, une petite salle comme une autre, simplement grillée et fermée à bonne serrure. Dans les cours s'empilent des tas de bois. Les étudiants sont souvent déçus : tel amphithéâtre est une « espèce de catacombe éclairée par de méchantes lucarnes », tel autre ressemble à une « chambrée de caserne » [63]. Même physiquement, l'université trahit en Russie, parfois, son caractère d'enseigne.

Le professeur « ordinaire » (titulaire) est un personnage de haut rang : il a le même *čin* que le Général Major. Le *docent,* « conseiller de cour », possède le grade équivalent à celui de lieutenant-colonel. Ce sont des « Excellences », que leur traitement rattache au milieu de la haute bureaucratie. En 1863, ce traitement est presque doublé : 3 000 roubles, dix fois ce que gagne le bas *činovnik* [64]. La carrière professorale est une belle carrière. Lorsque Lévine, dans *Anna Karénine,* pense à sa situation de simple *pomeščik,* il a des regrets de ne pas avoir suivi l'exemple de ses camarades qui sont « qui colonel et *fligel'-ad'judant,* qui professeur, qui directeur de banque et de compagnie de chemin de fer, ou bien chef de bureau comme Oblonskij » [65]. « Etre chasseur de bécasses et éleveur de vaches » lui paraît moins prestigieux qu'une chaire universitaire : comme la noblesse russe est loin, sur ce point, de la gentry anglaise ! Lévine, qui a été à l'université et qui se sent coupable de son bien-être, est déjà un *intelligent.*

Mais la vénération inconditionnelle qui entoure en Russie l'Université est répandue dans toutes les classes et dans l'Etat. L'Université représente l'avenir. Elle figure la promesse d'une Russie rationnelle et éclairée.

63. SVINYN, 1890, p. 18.
64. Traitements en 1862, à Moscou : professeur ordinaire, 1 543 r ; professeur extraordinaire : 1 095 r ; *docent* : 786 r ; lecteur : 504 r. En 1863, respectivement : 3 000 r, 2 000 r, 1 000 r. Le traitement est entendu annuellement et comprend les primes de logement et de nourriture. Le recteur reçoit un supplément de 1 500 r (*ŽMNP,* 1863, t. 119). Il est curieux de constater que nul ne parle dans ses mémoires de cette substantielle augmentation. Pudeur caractéristique pour la question d'argent.
65. L. TOLSTOÏ, *Anna Karénine,* 1re partie, ch. VI. Il y a des limites. Lorsque De Witte émit l'intention de devenir professeur vers 1870, sa mère, une Dolgoruki, lui fit observer que « la carrière de l'enseignement ne convenait pas à un gentilhomme » (DE WITTE, *Mémoires,* p. 12).

« Grâce à l'inspiration générale vers les lumières qui gagnait tous les cercles dirigeants et toute la société russe, la science, qui jusque-là était chez nous quelque chose de formel, d'épisodique, de subordonné, soudain fut hissée sur un haut piédestal, comme une divinité de laquelle chacun devait tirer, de tous côtés, les rayons du savoir, l'homme élevé et noble... C'est pourquoi les prêtres de cette divinité, les professeurs étaient parés, aux yeux de la société de Saint-Pétersbourg, d'une auréole de profond respect. »[66]

Pourtant ce furent les étudiants qui furent les grands bénéficiaires de l'espérance russe. Il se développa un véritable mythe de la jeunesse, comme si la vieille génération, fatiguée de sa longue impuissance et se sentant un peu coupable du mauvais ordre des choses, se contentait de regarder de loin la terre promise et de faire à la Jeunesse une sorte de délégation de pouvoirs. L'étudiant est un personnage fêté de la vie mondaine. Il orne les deux ou trois salons élégants de Pétersbourg comme celui de Stakenšnejder. A Moscou, il est partout chez lui. « De même qu'il n'y a pas de gai mariage sans général, il n'y avait pas, en ce temps, de cérémonies tant soit peu solennelles sans la présence de cols bleus. » On le prend terriblement au sérieux :

« On voyait dans l'étudiant un homme fait, ancré dans ses convictions et capable de critiquer soi-même et le monde qui l'entourait ; en un mot, un homme capable, ayant déjà réussi dans son domaine et non pas essayant d'y réussir comme un gymnasiste. »

Il baigne dans une atmosphère légendaire, et, dangereusement pour lui, il est un symbole :

« Chaque étudiant, même de première année, était reçu avec joie, non seulement dans les salons, mais dans les cabinets les plus sérieux des littérateurs, des savants, des leaders sociaux. Tous regardaient la jeune génération comme l'incarnation du renouvellement tant désiré de la Russie et tous caressaient (*laskali*) les étudiants, les aidaient de toutes les manières, discutant volontiers avec eux les matières les plus sérieuses. »[67]

Lorsque viendra la crise universitaire de 1861, la fonction symbolique des étudiants apparaîtra en plein jour, et à leur entier détriment. La « société » les pousse en avant de façon presque provocatrice, sondant, par leur intermédiaire, jusqu'où il est possible d'aller dans l'opposition. Mais quand, à partir du printemps 1862, elle sera gagnée par la panique, les étudiants seront le bouc émissaire. C'en sera fini de la sym-

66. Ostrogorskij, 1895, p. 45-46.
67. Svinyn, 1890, p. 78-79.

pathie mondaine pour le « col bleu ». Il y aura désormais une équation tacite, dans le monde, entre étudiant et révolutionnaire. Affectée d'un signe positif ou négatif, l'Université occupe la même place immense dans l'imagination russe.

Ainsi l'importance psychologique de l'Université n'a rien à voir avec son importance réelle dans la vie russe ; ou plutôt elle lui est inversement proportionnelle. Il n'y a pas de paradoxe à dire que c'est parce que l'Université existe à peine qu'elle est plus valorisée en Russie qu'en aucun autre pays d'Europe. Elle appartient au monde infiniment précieux de l'Utopie. Un des esprits les plus lucides de ce temps, Čičerin, professeur à l'université de Moscou, l'avait reconnu en 1861 :

> « L'Université n'est pas chez nous un simple établissement supérieur, comme dans d'autres pays. Notre Université, c'est une atmosphère spirituelle dans laquelle l'homme reçoit un certain développement. C'est à travers l'Université que la société russe s'arrache à la sphère des ' âmes mortes '. »[68]

Le malheur est qu'elle ne s'y arrache que sur le plan de l'illusion, c'est en fonctionnant comme « un simple établissement d'enseignement » qu'elle aurait pu contribuer réellement à surmonter la malédiction des âmes mortes. Mais comme lieu d'évasion utopique elle contribue à la perpétuer.

68. Čičerin, 1929, p. 38.

III. Les étudiants

L'Université tend à former un monde clos. Et dans l'Université les étudiants forment un autre monde. Le processus se répète : le gymnase russe ne développait pas l'esprit de corps, mais, en son sein, une communauté oppositionnelle. La même scission se reproduit dans l'Université. Dès 1861, il est évident qu'il n'y aura pas de communauté universitaire, mais seulement, face aux « autorités » (*načalstvo*), une communauté étudiante : *studenčestvo.*

1. LA RELATION MAÎTRE-ÉLÈVE

La révocation est en Russie une pratique infiniment rare, et, de tous les fonctionnaires, le professeur d'université est celui qui jouit peut-être de la plus grande sécurité de statut. Mais il reste un fonctionnaire ; il continue de se sentir responsable d'un Service. Il y avait, à Moscou, un pauvre professeur très mauvais, incapable de suivre le programme. Le malheureux était en train de devenir aveugle et avait perdu un œil. Il n'en est pas moins blâmé par le conseil universitaire et mis en congé [1]. On peut être révoqué pour insuffisance ! Mais d'autre part, vis-à-vis des élèves, le professeur reste porteur d'une parcelle de l'autorité de l'Etat.

S'il fallait trouver une comparaison moderne, les liens qui peuvent se nouer entre les professeurs et leurs étudiants ressemblent plus à ceux d'une *khâgne* qu'à ceux d'une université moderne immense et anonyme. Dans les années quarante et cinquante, les professeurs de Moscou et de Har'kov donnaient volontiers des leçons particulières et leurs femmes prenaient en pension les plus fortunés de leurs étudiants [2]. Encore dans les années soixante, les étudiants rendent visite familièrement à leurs maîtres, qui ont souvent pour eux leur « jour » (*žurfiks*).

> « En notre temps, aussi loin que je me souvienne, il existait des liens étroits entre professeurs et étudiants, qui donnaient la possibilité d'apprécier les progrès et les connaissances des étudiants,

1. CGIAL, F. 733, op. 38, n° 4, 1858, p. 20.
2. Rennenkampf, 1899, p. 33.

dans la vie privée, en dehors des amphithéâtres, par une libre conversation et non par les examens. »[3]

L'homme se sent proche de l'homme de Russie et toute relation humaine se colore d'affectivité. C'est là qu'est le danger. L'étudiant idéalise le maître, cherche le directeur de conscience, le *nastavnik*, le maître.

« Nous voyions dans le professeur l'homme vivant, profondément persuadé de ce dont il parle, sachant choisir dans la réalité, la mettre en évidence, l'éclairer. »[4]

Presque inévitablement la déception est à la mesure de l'enthousiasme ; le mépris injustifié succède à la vénération aveugle. Panteleev arrive de sa province, éperdu de respect pour ses maîtres.

« L'idée de professeur s'unissait avec la représentation d'une personne au-dessus de toute critique. Hélas, au bout de quelques mois, il ne restera de cette foi guère plus que le souvenir. »[5]

Il fait son droit, à la faculté de Pétersbourg. Kalmykov parle « comme un grand prêtre de la science », mais il a le tort d'en rester à Wolf et de ne point parler d'Hegel, ce qui est un test décisif pour cette génération. Il cesse de venir aux cours. Kalmykov, qui traite du droit public russe, est trop endormant pour que son cours soit fréquentable. Il en est de même de Kastorskij, professeur d'histoire russe, et, cela va sans dire, de Polisadok qui enseigne la théologie. Il ne reste plus à l'étudiant Panteleev qu'à venir en amateur aux cours de Spasovič et de Kavelin, mais sans régularité. Finalement, il ne met plus les pieds dans un amphithéâtre, s'inscrit en bibliothèque, lit beaucoup mais surtout les revues[6]. Il s'est complètement coupé du milieu professoral. Evolution exemplaire.

Dès qu'un désaccord éthique ou politique (c'est-à-dire encore une fois éthique) s'établit entre les professeurs et les élèves, la rupture prend un tour violent, aussi totale qu'était le dévouement d'hier. Le professeur devient la cible principale de la révolte. Comme l'écrit Pisarev : « A présent, si quelqu'un prétend me faire reproche de nihilisme, à mon offenseur je montrerai Kreozotov et je lui dirai : Voilà mon premier maître. »[7]

Pour beaucoup de professeurs cette coupure est douloureuse, qui

3. Svinyn, 1890, p. 55.
4. Ostrogorskij, 1895, p. 50.
5. Panteleev, 1958, p. 130. Se rapporte à l'année 1858.
6. *Ibid.*, p. 137-140.
7. Coquart, 1946, p. 27. Kreozotov est la caricature de l'historien Kastorskij.

ruine leur rêve de la grande famille universitaire, à l'allemande. A Moscou, ils tenaient la distance, mais à Pétersbourg, ils voulaient à toute force rester près de leurs étudiants, prêtant parfois au soupçon de démagogie. Au moment des désordres, Nikitenko les jugeait sévèrement, surtout Kavelin et Kostomarov :

> « Ah ! Seigneur ! ce n'est pas l'amour de la jeunesse ni de la science qui parle en vous ; c'est seulement le désir d'être populaire parmi les étudiants ; au lieu de leur enseigner la science, vous vous laissez aller à des joutes politiques avec eux. » [8]

En deux ans, entre 1861 et 1862, ils perdirent le contact et pour toujours. Les idéaux politiques et moraux de la jeunesse se formèrent en dehors de leur influence, de leur contrôle, de leur participation. L'Université unanime du début du règne se brisa en deux moitiés : les maîtres rejoignirent les rangs du *činovničestvo* et les étudiants s'enfermèrent dans le *studenčestvo*.

2. ORIGINE SOCIALE ET CONDITIONS DE VIE

Un schéma très ancien dans l'historiographie russe met en relation l'arrivée dans les universités d'un nouveau type social d'étudiants et la naissance du populisme. Jusqu'au début du règne d'Alexandre, les étudiants sont presque tous d'origine noble. L'ouverture des universités en donne l'accès aux fils de prêtres, de marchands modestes, d'artisans, de petits fonctionnaires : aux *raznočincy* (rangs mêlés)[9]. Pauvres, démocratiques par origine de classe, ils inaugurent la période « démocratique » du mouvement révolutionnaire[10].

Cette thèse était admise tacitement par le gouvernement lorsqu'il s'efforçait, par accès, de fermer l'Université aux classes inférieures. Elle était aussi admise par les étudiants contemporains. Elle fut reconnue vraie par les historiens libéraux, et établie comme vérité définitive par Lénine. Elle est encore citée, mais avec des réserves, par M. Malia, selon qui l'intelligentsia naît de la fusion, dans les universités, de l'élément noble et de l'élément *raznočinec*[11]. Les *raznočincy* apportent leur expérience directe des bas-fonds de la triste Russie. Humiliés et offensés, ils s'engagent à corps perdu, sans regarder en arrière, dans la révolte absolue.

8. NIKITENKO, 1955, t. II, p. 176. Ecrit le 15 févr. 1861, au lendemain du chahut qui suivit l'interdiction du cours de Kostomarov.
9. Bien qu'en 1861 Putjatin élevât brusquement les droits universitaires.
10. C'est la théorie léninienne des trois étapes — noble, roturière, prolétarienne — de la révolution.
11. MALIA, *in* PIPES, 1962, p. 1-19.

C'est cette thèse que nous voudrions discuter. Pour cela, il faudrait répondre à ces trois questions :

1) La composition sociale des étudiants a-t-elle effectivement varié ?
2) Les conditions de vie des étudiants se sont-elles aggravées ?
3) Quelle importance assigner à ces modifications éventuelles dans la genèse du mouvement étudiant et révolutionnaire au début des années soixante ?

L'origine sociale des étudiants

Nous ne pouvons malheureusement présenter ici que des résultats provisoires. Il n'existe pas de statistiques régulières. Dans le *ŽMNP*, chaque année paraissait un tableau nous informant du *soslovie* d'origine des élèves de l'enseignement secondaire. Rien de tel n'existait pour les universités. Les chiffres présentés, glanés çà et là, permettent cependant de se faire une idée de la « caste » d'origine des étudiants. *Soslovie* n'est pas classe, mais dans la société russe les catégories juridiques ont une importance sociale égale aux catégories économiques. Elles ne doivent pas cependant être confondues. On conçoit que le fils du gros marchand moscovite de la 1re guilde est un homme disposant de plus de privilèges réels que le fils du hobereau ruiné de la Russie du Nord, classé dans la noblesse.

ORIGINE SOCIALE DES ÉTUDIANTS (« SOSLOVIE » DES PARENTS)

Université de Moscou	*1831* [12]	*1862* [13]	*1878* [14]
Nobles et *činovniki*	1 127	1 383	721
Clergé	341	223	446
Citoyens honoraires et marchands	152	173	142
Meščane et *cehovyje ljudi*		139	158
Autres	90	26	101

Université de Kazan'	*1858* [15]	*1862* [16]
Nobles et *činovniki*	227	262
Clergé	33	44
Citoyens honoraires et marchands	26	27
Meščane et *cehovyje ljudi*	36	47
Autres	35	18

12. *Istorija Moskovskogo Universiteta*, t. I, p. 113.
13. *ŽMNP*, août 1863.
14. *ŽMNP*, août 1880.
15. CGIAL, F. 733, op. 47, n° 190, 1-16, 1860.
16. *ŽMNP*, août 1880.

L'année 1862, pour quatre universités [17]	*Pétersbourg*	*Moscou*	*Kazan'*	*Kiev*
Nobles et *činovniki*	275	1 383	263	852
Clergé	28	223	44	59
Citoyens honoraires et marchands	34	173	27	49
Meščane et *cehovyje ljudi*	18	139	47	27
Raznočincy	12	19	4	17
Paysans	—	4	7	9
Juifs	6	3	—	31
Etrangers	10	—	7	18
Total	*383*	*1 944*	*399*	*1 062*

ÉTABLISSEMENTS FRÉQUENTÉS AVANT L'ENTRÉE A L'UNIVERSITÉ [18]

Établissements	*Pétersbourg 1863*	*Moscou 1863*	*Kazan' 1862*	*Kiev 1863*
Instituts de la noblesse	7	67	10	14
Gymnases	284	1 080	315	647
Séminaires	13	112	42	38
Lycées	—	29	—	19
Écoles privées	—	79	—	—
Académie ecclésiastique	—	32	—	—
Instruction à domicile	68	254	71	231
Autre formation	—	—	5	17

Les chiffres cités sont fragmentaires. Cependant, examinés soigneusement et confrontés avec ceux cités plus haut, ils livrent quelques indications. Elles ne confirment pas les thèses classiques.

1) La composition sociale de l'université de Moscou n'a pas pour ainsi dire varié de 1831 à 1863. Tous les groupes sociaux ont participé proportionnellement à la modeste croissance de la période envisagée. Si l'on se souvient qu'il y a six cent mille nobles en Russie, il aurait fallu une augmentation massive du nombre des étudiants pour que les nobles fussent noyés dans la masse des roturiers. Mais dans le cas d'une croissance lente, la noblesse, première bénéficiaire du progrès de la culture en Russie, augmente seulement le taux de la scolarisation de ses enfants. Ce n'est qu'après 1863, *après* donc que le mouvement étudiant ait pris une direction révolutionnaire, que la proportion des nobles tend à fléchir.

2) On constate la même stabilité sociale à Kazan', dans la période cruciale qui sépare l'université encore apolitique de 1859 et l'université de la « Conjuration de Kazan' » (1863).

3) Dans cinq universités de l'empire, en 1863, la prédominance des étudiants d'origine noble est absolue. Il est vrai que nos chiffres rangent ensemble les enfants des fonctionnaires et les nobles. Economiquement,

17. *ŽMNP,* août 1863.
18. *Ibid.*

les deux groupes ne doivent pas être confondus. Ni l'un ni l'autre ne sont d'ailleurs homogènes. Mais sur un certain plan ils sont reliés par des liens indissolubles : ils ont la même histoire culturelle. Nobles et *činovniki* forment ensemble la fraction occidentalisée de la Russie : à degrés divers, ils sont tournés vers les mêmes modèles culturels. Les autres groupes : clergé, marchands, artisans, ont une culture originale ; mais elle ne saurait prévaloir dans l'Université par la force du nombre. S'il y a eu victoire d'un idéal *raznočinec*, ce n'est pas parce que les *raznočincy* ont conquis la majorité. Les chiffres suggèrent plutôt que le phénomène a eu une nature purement idéologique. Il s'agirait d'un avatar de la culture noble : d'une crise *raznočinec* de la jeunesse noble. Démocrate d'opinion, elle a voulu s'identifier à la minuscule fraction universitaire dont la situation sociale justifiait les positions démocratiques. L'étudiant fils de prêtre ou de boutiquier fait figure d'aristocrate dans le monde de valeurs particulier de l'Université. C'est par le jeu de cette identification qu'a pu se produire cette illusion d'un raz de marée roturier inexistant. En un mot, il y avait toujours dans l'Université un certain nombre d'enfants des classes inférieures. On ne les voyait pas. On ne vit plus qu'eux.

L'illusion fut renforcée par le fait qu'effectivement le processus de démocratisation sociale finit par se produire, silencieusement, lentement, dans le cours ultérieur de ce règne et du suivant ; il devint bien difficile alors de démêler l'écheveau d'interaction entre la démocratisation de fait et la démocratisation d'opinion. Mais pour ce qui est de la période antérieure à 1863, nous pensons que la démocratisation des esprits a précédé la démocratisation du recrutement. Elle en est moins la conséquence que la cause. L'aura légendaire qui entoure (même en dehors des cercles universitaires) celui qui, pauvre, lit un livre et veut s'élever par l'instruction, crée un appel sans lequel le fils du pope serait devenu pope et le fils du *meščanin* serait resté dans la boutique paternelle.

Les conditions de vie

De Vallès à Ostrogorskij, les mémoires des étudiants répandent sur la vie étudiante européenne une coloration bien sombre. Déception, déracinement, bohême, la complainte de l'étudiant français est reprise par son camarade russe.

Il ne fait aucun doute qu'une proportion notable des étudiants russes soit pauvre. La question est d'essayer d'évaluer l'importance sociale et politique de ce secteur de pauvreté.

Orphelin, éduqué aux frais de l'Etat *(kazennokoštnyj)* Ostrogorskij quitte le gymnase sans aucune bourse, simplement dispensé de payer les droits universitaires ; à cette époque (c'est-à-dire en 1858), il n'existe encore aucune bourse publique, mais seulement un secours infime distribué mensuellement aux étudiants pauvres à partir de la deuxième année [19]. Il y a bien quelques secours mutualistes, mais seuls peuvent en bénéficier ceux qui meurent littéralement de faim. Les plus jeunes étudiants sont surtout à plaindre : ils n'ont pas encore fait leur trou, n'ont pas de galoches, ni de vêtements chauds, ni d'abri. Ostrogorskij, d'emblée, entre dans les rangs du « prolétariat pensant » de Pétersbourg [20]. Il se contente souvent, pour tout repas, d'une tartine et d'une chope de bière. Quatre fois la semaine, il donne, contre un repas, une leçon au fils d'un fonctionnaire. Point de logement, pas même, comme d'autres camarades, le coin d'une pièce, barrée d'un paravent. Il traîne chez des amis et l'été dort sur les bancs du jardin de l'Amirauté, en prenant garde aux sergents de ville.

Remarquons que ce quasi-clochard a ses entrées à la bibliothèque de l'Académie des Sciences, et que le bon Lambin, célèbre bibliographe, lui laisse emporter vers son taudis autant de livres qu'il veut. Telle est la simplicité russe.

Pour l'étudiant pauvre, une grande ressource, les leçons. Le point d'honneur est de refuser d'accepter moins d'un rouble l'heure [21]. Un grand danger, les usuriers dont plusieurs sont spécialisés dans le détroussement de l'étudiant.

Même situation à Moscou [22] : les étudiants se répartissent en trois catégories distinctes ; d'abord les nantis, dont le caractère distinctif est de rouler en voiture. Puis ceux qui reçoivent une aide de l'Etat, ou de la charité privée *(na kazennom* et *na blagotvoritel'nom soderžanii).* Le reste vit de leçons et d'expédients. Dispersés, en 1856 encore, les étudiants se rassemblent peu à peu selon leur spécialité dans certains quartiers : près de l'hôpital Catherine pour les *mediki*, près de l'Arbat, pour les autres. Moscou possède, vers 1860, son quartier latin : Koziha. Moscou la Bonne *(Dobrodušnaja Moskva)* est plus accueillante que la glaciale Pétersbourg. On y trouve des logeuses maternelles, des restaurants à bon marché. Pour quinze kopeks, les portions de jambon ou de poisson satisfont les plus gros appétits. Les plus grandes dépenses sont pour s'habiller, s'éclairer (à la chandelle), se transporter et se distraire. Nous connaissons par chance le carnet de comptes d'un étudiant : celui de Dobroljubov. Il est libéré des frais de nourriture. On voit, en parcourant les pages du carnet, que la principale dépense est le fiacre, qu'il prend pratiquement tous les jours et qui lui coûte entre 30 et 75 kopeks par course. En cinq mois, il ne va que deux fois au théâtre (pour 1,32 et 1,75 roubles). Autres chapitres : les cahiers, les crayons, la cire à cacheter. Il achète une jaquette, une redingote (20 r) et une cravate (50 k).

19. 7,50 r par mois : c'est ce qu'on appelait les *balovye den'gi.*
20. Ostrogorskij, 1895, p. 82-87.
21. Panteleev, 1958, p. 141-150. Il lui arrive de se contenter de 5 r pour 8 leçons, mais aussi de soutirer 5 r de l'heure au riche prince Golicyn.
22. Derkačev, *in Vospominanija studenčeskoj žizni,* 1899, p. 190 et Svinyn, 1890, p. 16-17.

Pour les cinq premiers mois de 1857, ses comptes mensuels s'établissent ainsi :

janvier	29,52 r
février	24,96 r
mars	39,30 r
avril	43,19 r
mai	57,20 r

Il a gagné 375,75 r par des travaux de journalisme et des leçons particulières. Il a été en mesure d'envoyer 70 r à ses sœurs dans le besoin [23]. Ainsi se présente le budget d'un étudiant modeste mais très actif et débrouillard.

Les autorités gouvernementales connaissaient la détresse de beaucoup d'étudiants, et s'en inquiétaient. Golovnin, ministre de l'Instruction publique, avouait dans un rapport que les étudiants étaient des « gens en majorité pauvres » et que par conséquent il fallait écarter le projet d'établir une université à Nikolaev, trou perdu où ils ne trouveraient pas de quoi subsister (à moins de leur donner à chacun une bourse de deux ou trois cents roubles), mais qu'il fallait l'établir à Odessa, grande ville, « car beaucoup d'étudiants vivent de leçons » [24].

Jusqu'en 1861, la jeunesse universitaire est presque abandonnée à elle-même [25]. On comprend la menace que représenta la suppression temporaire de la dispense des droits, cause immédiate des désordres de l'automne 1861. Cinquante roubles supplémentaires à débourser, c'était déséquilibrer irrémédiablement un budget trop tendu. Cela signifiait pour beaucoup d'étudiants l'abandon de l'université [26].

Mais, très vite, fut mis sur pied un puissant réseau d'aide publique et privée. A partir de 1866, il est probablement le plus efficace d'Europe.

Étudiants de six universités russes recevant des secours pécuniaires (pour 3 591 étudiants, en 1866) [27]

		%
Boursiers	666	18,5
Recevant un secours	343	9,6
Dispensés de droits	1 129	31,4
Total	*2 138*	*59,5*

23. Jampol'skij, 1936, p. 346-352.
24. F. 1275, op. 1 (93), n° 38, l. 24-25.
25. En 1861, sur les 1 561 étudiants de Moscou, 105 sont tenus pour émarger des fonds d'Etat *(na kazennom soderžanie)*, 107 de la charité privée, mais pour des sommes dérisoires. Il n'y a que 20 boursiers et 172 reçoivent un « secours exceptionnel ». CGIAL, F. 733, op. 78, n° 214, p. 18-19. Le reste vit d'expédients ou du sien.
26. « Je ne sais si je me serais décidé à entrer à l'Université s'il avait existé un droit obligatoire pour assister aux cours. » Panteleev, 1958, p. 141 (vers 1857).
27. *Materialy sobrannye...*, 1876, annexe, tableau 3 A, extrait.

Ce pourcentage total se répartit ainsi dans les universités (1866) [28] :

	%		%
Saint-Pétersbourg	52	Har'kov	47
Moscou	75	Kiev	38,6
Kazan'	55	Odessa	43,7

Ce pourcentage évolue ainsi dans les années suivantes :

	%		%
1867	63	1871	77,3
1868	75,7	1872	78,3
1869	73,7	1873	81,5

En 1869, sur moins de 5 000 étudiants, 1 128 recevaient des bourses, pour la plupart allouées par des particuliers. Dans quel pays d'Europe les étudiants étaient-ils traités avec autant de générosité ? Dans quel pays l'instruction, l'entretien d'un étudiant était-il considéré comme un devoir pour l'homme riche, comme une mission ? Et cela à la veille du grand exode populiste, du *hoždene v narod*, de la désertion massive et apostolique des amphithéâtres pour les villages ! Cela nous ramène à notre question initiale : comment les étudiants réagissaient-ils à la pauvreté ?

Leroy-Beaulieu, prêtant l'oreille à ses informateurs russes, n'hésitait pas à voir dans la misère étudiante une des sources de radicalisme ; après avoir brossé un tableau du « prolétariat lettré », il écrit :

> « De là, parmi ces étudiants dénués de ressources, des misères et des souffrances peu faites pour les réconcilier avec la société. Ce qui leur fait défaut, ce n'est pas seulement le matériel d'études et les livres, c'est à la fois la table, le logement, le vêtement... Dans cette situation, les jeunes gens s'entassent en de petites pièces, souvent étudiants et étudiantes ensemble, pour économiser le chauffage et la lumière, passant de longues soirées de l'hiver en divagations socialistes. Beaucoup de ces étudiants, incapables de terminer leurs cours, seront naturellement des fruits secs, rejetés par l'Etat ou la société, voués par la misère et les déceptions au radicalisme. » [29]

A l'époque où écrivait Leroy-Beaulieu, la misère étudiante était devenue un thème littéraire banal. L'étudiant est associé à la fois à l'idée de révolution et à une image de mansarde, de pain sec, de manteau trop mince,

28. *ŽMNP,* avril 1871.
29. LEROY-BEAULIEU, 1898, t. II, p. 538.

de galoches trouées, d'usurier impitoyable. Un tableau célèbre de Jarošenko nous montre un garçon hâve, épuisé, le regard à la fois pitoyable et énergique, les épaules couvertes d'un plaid, ce qui était alors le signe distinctif de l'étudiant radical.

Il me semble qu'il faille se garder d'illusions d'autant plus fallacieuses qu'elles ont été propagées par les contemporains eux-mêmes. Elles relient analogiquement les intellectuels et les ouvriers. Sursaut de la misère... comme si chez les intellectuels les conditions matérielles agissaient directement sur l'idéologie. Elles ne « causent » rien du tout. Mais elles peuvent fournir à point des justifications psychologiquement nécessaires.

Il y a certainement une marge notable de la population étudiante qui connaît des difficultés matérielles. Je n'ai pu la déterminer, hélas, avec précision et je doute que cela soit possible. Il est probable que parmi ces pauvres il y a autant de nobles que de roturiers. Ceux dont les souvenirs sont ici cités se rangeaient dans la catégorie « nobles et *činovnik* ». Le seul groupe régulièrement pauvre pourrait avoir été celui des fils de prêtres. Le moment où la misère fut la plus grande se situe au début du règne, quand on voyait des garçons venir à pied de plusieurs milliers de verstes, écouter l'enseignement sacré. Mais ils sont alors dispersés, sans esprit collectif, sans revendications.

> « Il y avait parmi nous pas mal de pauvres, parmi ceux qui ne recevaient aucune subvention *(svoekoštnyh)*. Disons que si l'on mangeait dans tout le mois pour deux roubles, si l'on se nourrissait en semaine de biscuit noir et de mauvais fromage, et si l'on payait pour son logement quatre ou six roubles par mois, on était un vrai pauvre *(bednjak)* ; mais alors ce n'était pas l'habitude de requérir de la société une charité spéciale envers les étudiants. Nous ne connaissions pas, nous autres les étudiants, ce point de vue selon lequel la société est obligée de nous entretenir. Cela nous aurait paru humiliant, alors que c'est aujourd'hui la mode et même une tradition consacrée... » [30]

L'aide en ce temps-là était rare et chiche. Il y avait les étudiants subventionnés *(kazennye)*, vivant à l'université ou non.

> « ... il y avait quelques subsides, mais cette revendication générale de soutien financier de la part de l'Etat et de la société n'était pas encore entrée dans les mœurs des étudiants ni à Kazan', ni à Dorpat » [31].

Ces étudiants-là, accablés par les soucis quotidiens, pressés de réussir, ne sont pas disponibles pour la politisation. Ce sont, dit un rapport

30. Boborykin, 1929, p. 104.
31. *Ibid.* Se rapporte à l'année 1857.

ministériel, « les plus travailleurs et les plus appliqués, ce sont ceux qui sont obligés de donner des leçons pour vivre ». L'image de l'étudiant pauvre et rebelle (rebelle parce que pauvre) se fixera plus tard, à l'heure justement où les secours s'organiseront.

Nous pensons que ce paradoxe est explicable à condition de faire appel au même phénomène d'identification que nous notions à propos des « éléments démocratiques ». A la suite d'une crise spirituelle (ou idéologique), l'étudiant, qui est un privilégié dans la société russe, ne peut plus supporter son privilège. S'il est aisé, son inconfort moral est d'autant plus aigu. Alors que jusqu'ici les questions d'argent n'avaient jamais compté, elles s'imposent sous la forme de la honte d'être riche. Cette culpabilité vague pourra être surmontée de deux façons : l'étudiant voudra « mériter » sa position privilégiée en « payant sa dette » au peuple, thème obsédant du populisme. Mais il aura aussi tendance à nier ce privilège en généralisant à tout son groupe l'image de la pauvreté que réalisent seulement quelques-uns. L'étudiant pauvre est alors placé au cœur de la corporation comme type exemplaire. En fait, celui-ci est tout prêt à accepter ce rôle. La position flatteuse qu'il occupe, l'autorité morale qui lui est attribuée l'y convient. Seul il jouit de la paix morale qu'apporte la coïncidence d'une opinion subversive et d'une position sociale humiliée. Même s'il ne la possède pas, les autres la lui prêtent. C'est pourquoi il est d'un soulagement certain pour l'étudiant aisé qui ne jouit pas de cette rassurante cohérence entre l'être et la conscience et qui se sent rivé à une position fausse, de s'identifier à son camarade en souliers troués et en habit râpé.

Ainsi le radicalisme ne devrait pas être connecté avec « le prolétariat pensant », mais plutôt avec le « privilégié pensant ». Le « prolétariat » ne sert que d'écran, n'est qu'une illusion justificatrice. Il masque le phénomène fondamental qui est bien le contraste entre la vie libre, éclairée, qu'on mène à l'université et les ténèbres qui l'entourent, contraste qui n'est plus supporté. Čičerin est un des très rares hommes de ce temps à s'en être aperçu, lui qui, non sans dureté, écrivait en 1861 :

> « Il est faux que les idées socialistes et démocratiques gagnent surtout les gens qui n'ont pas de quoi payer les cinquante roubles de droits universitaires. Au contraire, ceux-là entrent à l'Université pour faire leur chemin et doivent travailler et vivre de leur travail alors que les étudiants plus aisés peuvent s'adonner à la fainéantise et se délecter des rêves les plus sauvages *(dikie)*. Dans les universités, les idées sauvages apparaissent non pas parce qu'il y a en leur sein les soi-disant éléments démocratiques, mais qu'elles font apparaître la sauvagerie *(dikost')* de toute notre société, haute et basse, et je ne sais à laquelle revient la palme. » [32]

32. Čičerin, 1929, p. 38.

3. LE STUDENČESTVO

Les relations entre professeurs et étudiants se détériorent. L'université se coupe en deux. La moitié étudiante se donne une organisation à elle que ni l'Etat, ni les autorités universitaires ne réussissent à contrôler. Ainsi se forme une communauté avec ses règles, son horizon culturel, qui ne s'identifie en aucune façon à l'Université, mais campe au milieu d'elle : le *studenčestvo.*

L'absence d'une vie corporative

Il existait, pour les étudiants russes, un modèle proche : les corporations des universités allemandes, avec leurs rites, leurs codes d'honneur, leurs innocentes initiations viriles. Mais elles n'ont leur raison d'être qu'intégrées dans le corps universitaire. Elles doivent être reconnues.

Il y eut un moment, sous le règne de Nicolas, où l'on put se demander si l'Etat ne pourrait pas encourager, à travers la corporation, la formation d'un esprit de corps, tel qu'il existait déjà quelque peu dans les écoles de cadets. Vers 1835, on nota un subit afflux de grands noms de la noblesse russe dans les universités. Ces Dolgorukov, ces Golicyn, ces Kočubej viennent avec leurs précepteurs, tous français, qui les traitent en camarades et ne rechignent pas à les accompagner dans les endroits les moins recommandables. Le curateur se réjouissait de cette aristocratisation, qui pouvait renforcer, disait-il, l'esprit de corps [33]. C'est en cette année, en effet, qu'apparurent des corporations, mais comme une mode. On se battit en duel de bon cœur. Dès les premières balafres, la mode passa et la corporation cessa d'exister [34]. Il n'y eut plus, pour longtemps, de société étudiante et il devint « criminel d'imaginer même un *soslovie* à part, avec ses propres droits ».

A Dorpat, par exception, les corporations n'avaient pas disparu, et elles avaient l'allure naïve et innocente de l'Allemagne romantique. A l'imitation de leurs camarades germaniques, les étudiants russes y chantent des chansons traduites de l'allemand, « glorifient le vin et l'amour », pique-niquent dans les environs, tiennent quelques chastes beuveries. En même temps, selon le ministre Uvarov, l'état d'esprit est des plus satisfaisants. En 1848 et quelques années plus tard, Norov confirme l'absence de préoccupations politiques. Aussi, dès 1855, le gouvernement décida de leur donner une sanction officielle [35]. Le Dorpat

33. Le curateur était alors Dondulov-Korsakov. En fait la ligne principale de la politique du gouvernement, sous Nicolas, est d'atomiser les corps intermédiaires. L'esprit de corps se réfère à l'appartenance à tel régiment et secondairement seulement à l'appartenance à la noblesse. C'est pourquoi l'épisode de 1835 ne pouvait être qu'un accident.

34. Cit. SOLOV'EV, 1914, p. 157-160.

35. MEL'GUNOV, 1904, p. 52-55.

des années soixante offre un rassurant spectacle. C'est le règne de la bonne camaraderie, du tutoiement fraternel. Les étudiants se choisissent des corporations au nom ronflant : Arminia, Fraternitas, Academia Dorpatensis, montent des chorales, des sociétés de musique de chambre. Etudiants, professeurs et représentants de la société de la ville se retrouvent dans un club, l'Akademija Mussa [36]. L' « Athènes sur l'Embach » figure un petit Tübingen provincial. Le malheur est que la seule université russe qui réusisse à maintenir une harmonie « organique » au travers d'années troublées soit une enclave allemande sans lien avec la vie russe.

Le dégel surprit les étudiants russes dans un état de complète désorganisation. La caporalisation de la fin du règne leur avait ôté le sentiment de leur identité particulière. Leurs premiers essais corporatifs ne cherchent pas à dresser en face des autorités une organisation étudiante ; au contraire, on dirait qu'ils veulent se mettre à leur service. Ils sont pleins de modestie, de bonne volonté. On retrouve, là comme ailleurs, l'esprit unanimiste qui règne à l'aube de l'Emancipation.

Le premier geste des étudiants de Pétersbourg fut d'éditer eux-mêmes un recueil de leurs meilleurs travaux scientifiques. Ils collectèrent deux mille roubles et obtinrent, en 1857, l'autorisation du ministre.

Le comité de rédaction rassemblait douze étudiants élus par leurs camarades et était présidé par le professeur Surhomlinov, libéral modéré. Les trois gros tomes du *Sbornik* parurent en 1857, 1860 et 1866. Ils sont très ennuyeux [37]. On y trouve des traductions du latin, des dissertations philologiques, un gros article sage et documenté de Pisarev sur Humboldt. En même temps paraissent en polycopiés des petits journaux étudiants, humoristiques ou littéraires, sans rien de subversif. Le second geste — dont l'initiative revint aux rédacteurs du *Sbornik* — fut de fonder une caisse de secours qui commença de fonctionner dès la fin de 1857. Les rédacteurs en assuraient la gestion, aidés par des délégués élus dans chaque faculté. Chaque faculté prend ainsi l'habitude de se concerter, et la réunion — qui n'a pas encore de contenu corporatif — entre dans les mœurs. Les fonds, d'ailleurs, sont collectés avec la collaboration des autorités qui autorisent des concerts de bienfaisance ou des conférences dans les salles des Actes [38]. Neuf mille roubles sont ainsi réunis en deux ans, avant que l'Etat ait encore pris en main l'assistance aux étudiants pauvres. Ils sont distribués avec le minimum de procédure et le maximum de discrétion [39].

36. Souvenirs d'un étudiant de Dorpat, cit. SOLOV'EV, 1914, p. 155-156.
37. La qualification « d'ennuyeux » vient de Dobroljubov lui-même (*Sovremennik* 14, 1857). Sur le *Sbornik* et la participation de Pisarev, *cf.* COQUART, 1946, p. 34-35.
38. AŠEVSKIJ, 7, 8, 1907, p. 31-32. Chronique plate et minutieuse, très sûre chronologiquement, du mouvement étudiant.
39. « Le camarade nécessiteux allait voir le gérant et lui disait : ' Donnez-moi 5 roubles — Pourquoi ? — Je n'ai pas de bottes, ou bien, il faut payer ma pen-

A l'exemple de Pétersbourg, Kazan' et Moscou se donnèrent bientôt leurs caisses de secours. A Moscou, un local lui est affecté dans l'enceinte universitaire. Vite, les caisses élargissent leur activité au polycopiage des cours. Les étudiants peuvent ainsi plus facilement déserter les amphithéâtres. Les autorités, de leur côté, soupçonnent bien vite cette sorte de presse incontrôlée de lithographier Herzen ou Büchner. Où va l'argent des caisses ? Ainsi le procès d'organisation du monde étudiant prend une tout autre voie qu'en Allemagne. Ici, on partait d'un idéal étudiant, de la reconnaissance préalable d'un rôle à tenir dans le concert universitaire. Les étudiants de Dorpat cherchent à se modeler sur une image étudiante. Les étudiants de Pétersbourg partent d'une condition étudiante de fait. Caisses de secours, polycopiage n'ont rien à voir avec la représentation littéraire et romantique de l'étudiant. Et il est remarquable que ces premiers essais de groupement ne servent pas à établir un pont entre l'étudiant et l'Université, mais à lui permettre de le rompre et à lui faciliter cette rupture en lui donnant les moyens de vivre et d'apprendre en dehors du cadre qui lui est proposé.

Or les autorités, loin de freiner ce mouvement, font tout pour le rendre inéluctable. Les professeurs eux-mêmes, s'ils se proclament professeurs en face de l'Etat, se conduisent en *činovniki* quand ils font face aux étudiants. Par exemple, pour élire les comités de gestion des caisses, il faut tenir des assemblées : elles ne sont ni autorisées ni reconnues, tolérées seulement, et de quel œil soupçonneux ! Si bien qu'elles se tiennent quasi clandestinement, hors de la vue de leurs tuteurs naturels, et que chaque étudiant peut à son gré convoquer une assemblée pour d'autres raisons que la caisse. Bien mieux, les élections aux caisses sont désertées et le quorum n'est pas toujours atteint. En mars 1861 les professeurs se demandent avec le curateur Deljanov, s'il n'est pas souhaitable de régulariser par un statut la vie étudiante. Une commission se réunit sous la présidence de Kavelin et quelques étudiants en font partie. Le projet de statut est en bonne voie, mais il est trop tard. Le ministre et le curateur cèdent la place à Putjatin et Filipson [40]. L'été 1861, chacun le sait, est une veillée d'armes.

Dans un tel climat, quel sens donner à un épisode, sans lendemain, mais qui fit du bruit : le tribunal universitaire ? Il n'a pas existé partout. Il semble être apparu pour la première fois à Kiev, sous la tutelle de

---

sion. ' On discutait un peu amicalement et personne en dehors des participants ne savait qui avait eu recours à la caisse. » SALIAS, 1898, p. 487.
Voici les comptes de la caisse des étudiants de Moscou, du 1er septembre 1861 au 1er février 1862 :
Revenus : contribution des étudiants, 519 r 50 ; prêts remboursés, 44 r ; dons reçus par l'intermédiaire du *Moskovskie Vedomosti,* 1 943 r ; total, 2 463 r 14.
Dépenses : subventions à 75 étudiants et à 11 auditeurs libres, 1 346 r ; prêts à 35 étudiants et à 6 auditeurs libres, 485 r ; total, 1 831 r. *ŽMNP,* 1862, p. 123-124.

40. PANTELEEV, 1958, p. 154-156.

Pirogov, puis à Kazan', sous celle du prince Vjazemskij. Ils sont douze jurés, qui peuvent prononcer l'exclusion temporaire d'un camarade, et même l'exclusion définitive moyennant l'approbation de l'inspecteur. A Pétersbourg, le tribunal de camarades fonctionna de façon intermittente. L'affaire qui laissa le plus grand souvenir fut celle de l'étudiant Bučik, coupable d'avoir volé dans la caisse de secours mutuel. Le tribunal se réunit sous la présidence du professeur de droit Spasovič, désigna un procureur, deux avocats, jugea selon les formes. Un étudiant fit l'avocat, un autre le procureur. La sentence (rendue en mars 1861) fut transmise au curateur pour exécution. Scène étrange, premier exemple, trois ans avant la réforme judiciaire, d'une procédure publique et contradictoire à l'occidentale. Scène typique du monde étudiant, avec son mélange de jeu et de sérieux. Mais l'événement ne fut pas ressenti comme une expérience universitaire (le tribunal étudiant faisait pourtant partie des attributions traditionnelles, en Allemagne, de l'autonomie) mais comme une expérience pilote pour toute la Russie et fut suivie comme telle, par un public considérable. Encore une fois les étudiants sont invités à sortir du cercle universitaire par ces espèces de travaux pratiques, à se charger d'une mission nationale à laquelle ils n'étaient pas préparés, ni destinés. Tel était le prix qu'il fallait payer pour incarner l'espérance russe [41].

Le seul groupement corporatif est finalement la *shodka*, c'est-à-dire une simple assemblée, confuse, sans consistance ni durée. Privés d'une organisation régulière, les étudiants se rassemblent soudainement, mais sans faire d'habitude autre chose que de communier un instant dans un mouvement de foule. Une des premières *shodki* eut, par exemple, lieu en 1858. Un étudiant grimpe sur une chaise et dans le grand amphithéâtre commence un discours enflammé. Voici la cause : des étudiants, en voulant rompre la chaîne qu'un régiment avait établie autour d'un incendie, afin de sauver les effets d'un de leurs amis, s'étaient fait molester à coups de plat de sabre et à coups de crosse. Que les autorités universitaires réclament le châtiment de ces brutes, l'enthousiasme est général, mais le résultat est nul. Le surlendemain, un étudiant ayant déclaré que ses camarades devaient donner l'exemple du respect des lois et ne pas se conduire en gamins, une seconde *shodka* se tient pour « juger » ce misérable. Elle se sépare dans le désordre, sans avoir rien fait [42]. A Moscou, les *shodki* sont aussi précoces, obtiennent parfois gain de cause, se multiplient de plus belle. Le curateur proposa alors aux étudiants de choisir deux délégués qui collaboreraient en permanence avec les autorités pour les affaires courantes. Mais l'habitude des *shodki* était bien enracinée [43].

41. Sur le tribunal étudiant : Aševskij, 1907, n° 7-8, p. 25. *Kolokol,* n° 102. Panteleev, 1958, p. 156-159.
42. Panteleev, 1958, p. 151-154.
43. Šestakov, 1888, p. 206.

Pendant quelque temps, à Pétersbourg, sous Ščerbatov, à Kiev, sous Pirogov, les autorités laissèrent faire. Puis elles s'inquiétèrent. Un rassemblement aussi amorphe que la *shodka* pouvait dévier dans n'importe quelle direction. Un rapport au ministre indique que

> c'est justement dans les *shodki* que se dissimule la racine de tout le mal qui gagne rapidement notre vie universitaire, car c'est là que se forme et se renforce la conviction des jeunes gens de former une sorte de corporation politique qui doit être indépendante et dans l'étude et dans l'éducation et même dans la vie sociale [44].

Faute d'avoir permis une organisation meilleure, le gouvernement a laissé se développer le plus informe et le plus inefficace des groupements ; le plus vulnérable aussi, qu'il réprimera brutalement à l'automne 1861.

Les « petits cercles »

La décourageante méfiance des autorités n'affectait en rien pourtant l'esprit naturel de solidarité des étudiants russes — naturel à des Russes et à des étudiants.

> « De notre temps les étudiants se serraient les coudes, sans distinction de faculté ou d'année d'étude. On s'encourageait, on apportait dans la vie le principe de ' socialité ' *(obščestvennost')*, d'aide mutuelle, de contrôle moral sur soi et un remarquable et noble idéalisme. Le tutoiement est adopté dès la première rencontre. » [45]

Autour des points légaux de rencontre que sont la caisse, la rédaction du *Sbornik*, la bibliothèque, mais surtout en dehors de l'enceinte universitaire, dans les salons, les cafés, les amitiés se nouent, les affinités se déclarent [46]. C'est alors par génération spontanée, hors de tout contrôle et de toute règle, que surgissent les cellules fondamentales de la vie sociale étudiante : les *kružki*, les petits cercles.

C'est une coalescence presque complète du milieu étudiant, mais l'Université n'en a fourni que l'occasion et non le cadre.

> « Presque chaque étudiant, ne possédât-il que des moyens minimes, s'efforçait de grouper autour de lui un petit cercle de camarades ayant mêmes pensées et mêmes points de vue, qui se réunissaient dans sa chambre, tantôt deux, tantôt une fois par semaine, le plus régulièrement et le plus scrupuleusement du monde, bien

44. Ce rapport date d'octobre 1861 : « Rapport sur les nouvelles règles universitaires prises par le ministère de l'Instruction publique », CGIAL, F 733, op. 27, n° 231, b. 2 verso. *Cf.* aussi GRIGOR'EV, 1870, p. 311-312, et AŠEVSKIJ, 1907, n° 7-8, p. 25-31.
45. OSTROGORSKIJ, 1895, p. 86-87, et SOROKIN, 1906, p. 442.
46. SOROKIN, 1906, parle du club qu'est la bibliothèque ou la caisse et où se coudoient les aristocrates (Gorčakov, Kurakin, Demidov, etc.) et les « roturiers » (p. 442).

que dans ces réunions, sauf le thé et le saucisson, le pain et la bière, on ne servait rien du tout. »[47]

Car le principe de cohésion de ces groupuscules n'est pas l'appartenance à un corps, mais la participation à un mouvement d'idées de vocation universelle[48].

> « Je me souviens d'une petite chambre d'un de mes camarades de Vasilevskij Ostrov. Sa porte, sans aucune antichambre, s'ouvrait sur l'escalier obscur d'une immense maison dans laquelle allait et venait beaucoup de monde. Comme dans cette chambre se réunissaient habituellement vingt ou vingt-cinq personnes, pour ne pas étouffer de chaleur et de fumée, la porte restait ouverte et les jeunes gens lisaient à la cantonnade et déclamaient des choses qu'en d'autres temps il eût été horrible seulement de penser. Les discussions brûlantes [l'adjectif ' brûlant ' est un cliché obligatoire] sur des questions extrêmement radicales et délicates se répandaient toute la nuit dans la chambre et dans l'escalier, sans que personne n'y prêtât la moindre attention. »[49]

Le fait important est cette reconstruction du monde en vase clos, par des jeunes gens, qui échappent au monde des adultes et ne s'occupent pourtant que de lui. Pour juger de la société russe, ils se placent en dehors d'elle, dans la petite société qu'ils se sont fabriqués et qui leur appartient.

> « En automne 1858, je rencontre un de mes anciens condisciples étudiant en sciences camérales, qui me demande aussitôt à quel *kružok* j'appartiens. A aucun. Alors il me dit qu'il connaît un *kružok* magnifique, qui se tient chez un *kandidat* de l'université de Moscou, un élève de Granovskij, chez qui on se réunit chaque semaine le samedi et auquel il va me conduire de ce pas ; j'y amène mon ami, le fils du diacre de Rjazan'. »[50]

A quel *kružok* appartiens-tu ? Tel est, beaucoup plus que l'appartenance à telle ou telle faculté, le signe de reconnaissance.

Il en est d'ailleurs de toute sorte. Certains sont comme des reliques des groupes slavophiles, hégéliens ou religieux des années quarante. Une « société des bien-pensants » se forme en 1857 entre quelques étudiants. Deux fois par semaine les jeunes gens se réunissent chez l'un ou

47. Sorokin, 1906, p. 618.
48. Sans oublier la réaction naturelle de se grouper pour lutter contre l'isolement. Ces jeunes gens sont en majorité provinciaux. « Entre le gymnase et l'université, il me semblait qu'il y avait un tel gouffre que sans le soutien d'autrui il me paraissait impossible de le franchir. » Panteleev, 1958, p. 132. Aussi prend-il aussitôt contact avec cinq « pays » *(zemljaki)* de Vologda.
49. *Ibid.*, p. 619.
50. Ostrogorskij, 1895, p. 88.

chez l'autre, avec des allures de conspirateurs, pour se confesser ou recevoir de ses frères conseils et encouragements, puis on bavarde de choses et d'autres autour du thé. Il y a encore le cercle libéral des étudiants de la faculté d'histoire-philologie : Pisarev, Treskin, Skabičevskij, Polevoj, Leonid Majkov, le frère de celui-ci, qui est un peintre assez connu chez qui se réunissent volontiers les rédacteurs des *Annales de la Patrie* (de Kraevskij). La tendance y est à l'art, à la science pour la science et au libéralisme loyaliste. Dès 1860, ce cercle n'a plus qu'une existence théorique [51].

Plus typique est le « *Kružok* pédagogique » parce que homogène socialement. Tout entier *raznočinec*, il est formé des anciens élèves de l'Institut pédagogique principal, pour qui l'entrée à la faculté de philologie, après la suppression de l'Institut en 1859, est une merveilleuse promotion. Là, on est libre, disent-ils, on travaille librement. Travailler ? Un proverbe avait cours : saoul comme un philologue. Un certain nombre meurent en effet d'alcoolisme. Deux traits caractérisaient la vie intellectuelle du « *Kružok* pédagogique » : le mépris de la science-scolastique — n'ayant pas de lien-direct-avec-la-vie (encore un cliché constant) — et (ce qui est la même chose) « le radicalisme philosophique-politique ». Ils lisent beaucoup, et dans l'original Buckle, Feuerbach, Bauer, Stirner, Louis Blanc, Proud'hon. Ils suivent régulièrement le *Sovremennik.* Kavelin n'est pas assez radical pour eux. Dans l'année des proclamations, en 1861 et en 1862, ils jugent le *Velikorus* trop modéré et ils distribuent d'enthousiasme la sanguinaire *Molodaja Rossija.* Ils n'ont que mépris pour leurs professeurs, pour Kostomarov, trop prudent, pour Stasjulevič, dédaigné, pour Pypin, ignoré. Tous gardent une sainte horreur de l'Institut pédagogique principal [52]. Ce n'est pas la doctrine qui met de la consistance dans le cercle, mais la haine qui n'épargne pas les notabilités progressistes. L'un d'eux, Ščeglov, « ne pouvait souffrir aucune personnalité populaire, ni Kavelin, ni Kostomarov ». Il pleure pourtant à la mort de Dobroljubov [53]. On pourrait songer à reconnaître dans tout ce fiel l'humiliation sociale des *popoviči* rudes et pauvres, qui ne peuvent se faire leur place au soleil. Pas du tout. Il se trouve que nous savons ce que sont devenus ces jeunes gens en colère : l'un, après un détour par la déportation, devient le directeur d'une importante affaire sibérienne ; deux autres deviennent professeurs de gymnase, il y a un journaliste à l'*Epoha* de Dostoevskij, un directeur de gymnase à Moscou, tous bien pensants et même réactionnaires. Le *Kružok* se disperse en 1862, lorsque cinq d'entre eux sont envoyés

51. Coquart, 1946, p. 38-40.
52. L'un d'eux explique : « L'Institut, c'est la même chose que le gymnase, simplement d'un niveau supérieur. L'Université, c'est un tout autre esprit. Là, c'est la vie. Les étudiants s'occupent comme ils veulent, ils ne sont pas des écoliers, ils travaillent librement. » Coquart, 1946, p. 129.
53. Panteleev, 1958, p. 202-208.

à l'étranger comme boursiers d'études. A leur retour « la flamme révolutionnaire est éteinte ». L'un d'eux reconnaît que c'est le soulèvement polonais qui a réveillé en lui le patriote russe. C'est un bon exemple du facile recasement comme cadre intellectuel de ces jeunes révolutionnaires dont l'idéologie, encore toute sentimentale, est faiblement structurée et dont l'évolution est réversible.

Etudiants par composition, mais extra-universitaires de vocation, les *kružki* passent par des phases analogues rythmées par l'histoire politique de ces années. D'abord, c'est le plaisir d'être ensemble *(sobornost')* qui les maintient unis. Puis le libre bavardage cesse d'être une issue entièrement satisfaisante à leur inquiétude. Vient l'envie de faire quelque chose. Les appels passionnés de Dobroljubov à l'action sont entendus.

> « De la première à la deuxième année d'études, les discussions prennent un tour plus réfléchi. On se méfie de l'éloquence et de la phraséologie *(frazerstvo)*. On donne le surnom de philologue à celui qui parle beaucoup et avec flamme, mais qui pense superficiellement. »[54]

Ce besoin d'action dans le monde, le mouvement des écoles du dimanche en est la première expression. Puis, quand il devient clair que cet engagement de bonne volonté est repoussé par le monde adulte, après 1861, la seule activité chargée de prestige sera la révolution. Le *kružok* devient un lieu de repli, un organisme refuge. Cadre spontané de la communauté étudiante, il devient la cellule et le creuset de la révolution populiste.

Divisions nationales

Parmi les causes secondaires qui rendent impossible un esprit universitaire commun, il convient de faire une place aux divisions qui opposent, dans une même faculté, Russes et Allemands, Russes et Polonais.

A Dorpat, règne une franche ségrégation. Un étudiant russe témoigne : « Nous ne faisions que nous heurter avec les Allemands ; nous ne vivions pas avec eux. » Les Russes avaient essayé de faire une corporation à eux, mais elle végète et se défait.

> « Les Allemands ne se mêlaient jamais à nous, ne nous parlaient pas dans les amphithéâtres, les cliniques, les travaux pratiques... Cela était très pénible. » [55]

Les Allemands monopolisaient la vie étudiante : à eux les corporations, les concerts. Mais aux Russes les discussions brûlantes, la politique, la

54. SOROKIN, 1906, p. 626.
55. BOBORYKIN, 1929, p. 95.

« philosophie vivante ». « Les Allemands refusent de parler de choses sérieuses. » Les Russes dans leur petit *kružok* (où d'ailleurs un Juif a trouvé refuge) « suivent de plus près l'actualité ». Ils trouvent les corporations allemandes ridicules, chauvines, grossières. Mais « c'était nous qui souffrions de l'ostracisme, pas eux » [56]. Dorpat est à part. Les professeurs, pour la plupart, ne savent pas le russe. Il est convenu que c'est une université allemande et « qu'on l'apprécie comme telle, en comptant y trouver un niveau d'études et de vie scientifique plus élevé » [57]. Dans les autres universités, le problème est plus aigu, parce qu'elles sont russes et qu'Allemands et Polonais refusent l'intégration.

Les Allemands, il est vrai, ne forment qu'à Pétersbourg un groupe compact, et toujours très minoritaire. Le problème ukrainien ne se pose pas : à Kiev, grands et petits Russes font bloc contre les Polonais. Il n'y a que quelques Juifs à Pétersbourg, deux ou trois dizaines à Kiev, tous encore du côté russe. Mais à Kiev, les Polonais, jusqu'en 1861 au moins, forment la moitié et parfois davantage de l'effectif universitaire. Les incidents de 1861, pourtant bénins, sont prétexte à instaurer un *numerus clausus*, qui ramène leur proportion, et pour de longues années, à 20 %. Les idées de « gauche » ne suffisent pas à nouer des liens solides entre les deux nationalités car, comme le remarque un professeur, le réformisme des Russes vise la Russie et leur appétit de culture occidentale nourrit ce désir de réforme intérieure, alors que les Polonais visent des buts nationaux et que la culture occidentale n'est qu'une arme et un drapeau pour les atteindre — et pour se démarquer de leurs camarades russes [58]. La division de l'université de Kiev y paralyse le mouvement étudiant.

A Pétersbourg, il n'y a non plus rien de commun entre les « trois clubs », russes, polonais, allemands. Seules quelques *shodki* parviennent à les réunir de temps en temps, quand l'intérêt de l'Université entière est en jeu [59]. Il y a cinq cents étudiants polonais, au moins un tiers de l'effectif. Ils sont solidement organisés et évitent le contact extérieur. On se salue poliment et c'est tout. De la part des Russes, pas d'hostilité, pas de curiosité non plus. Un des étudiants polonais, Choreszewski, désire collaborer au *Kolokol* : sa corporation le lui interdit, parce que le socialisme et le fédéralisme panslave sont incompatibles avec le strict nationalisme polonais. L'atmosphère se dégèle un peu au moment des incidents qui font cinq victimes à Varsovie, au début de 1861. Un

56. *Ibid.*
57. *Ibid.*, p. 107.
58. Rennenkampf, 1899, p. 36-46.
59. L'antisémitisme des Polonais pousse les étudiants Juifs de Har'kov et de Kiev du côté de leurs camarades russes. A telle enseigne que le chef de l'organisation polonaise de Kiev refusa de collaborer avec la société secrète de Bekman, Portugalov et Zavadskij, parce qu'elle comptait beaucoup de Juifs. *Cf.* Jastrebov, 1960, p. 248. Pas de témoignages à ma connaissance d'un antisémitisme parmi les étudiants russes, au moins pour les années soixante, car il y aura bientôt un antisémitisme populiste.

service funèbre a lieu à Pétersbourg, et les étudiants russes y assistent en foule (13 février 1861). Mais les dirigeants de la corporation restent hostiles au rapprochement officiel, autorisent seulement les contacts individuels. Une réunion commune de délégués russes et polonais a lieu en mars 1861. Nicolas Utin, au nom des Russes, prononce un discours chaleureux. Les Polonais ne repoussent pas la main tendue, mais posent, dans toute sa force, la question de l'indépendance. Alors l'un des délégués russes demande quel avenir ils réservent à la Lithuanie et à l'Ukraine. Utin trouve cela déplacé. Mais c'est le vrai problème, et les Polonais le comprennent : « un fossé s'est creusé », les choses en restent là, et les Polonais participeront peu aux incidents de l'automne 1861 [60].

Il serait exagéré de supposer qu'une autre organisation de la vie universitaire aurait abaissé les barrières nationales et fondu des groupes rivaux. Mais l'interdiction, par l'autorité, de toute forme avouée et régulière d'organisation, en rejetant les étudiants vers les groupements refuges des *kružki*, favorise l'émiettement de la communauté étudiante, donc renforce les nationalismes. En retour, ceux-ci branchent directement la masse étudiante sur la vie politique nationale.

L'uniforme

Dans la vaste parade militaire qui est l'idéal social de Nicolas Ier, le régiment des étudiants a son uniforme. Ils portent tricorne et épée. La couleur du col est bleue. Le recueil des lois de l'empire fait une place aux règlements qui prescrivent minutieusement l'étoffe, les mesures, les galons, les torsades [61]. Par exemple, l'uniforme de l'étudiant de l'Académie médico-chirurgicale de Pétersbourg comporte un casque qui ressemble à ceux des policemen de la reine Victoria, mais orné d'une pointe à la prussienne ; un haut col et un dolman boutonné sur le côté. Par-derrière, un pli creux et une curieuse martingale à plusieurs rangs de boutons. L'épée entre dans la veste et s'aligne sur la bande du pantalon ; l'épaulette est barrée d'un grand galon d'or.

L'uniforme ne fut supprimé officiellement qu'en mai 1861. Les étudiants l'éprouvèrent plutôt comme une brimade, parce qu'on leur interdisait de porter un habit qui n'était plus un uniforme au sens militaire, mais l'emblème de leur état. Depuis quelques années en effet, ils ne le prenaient plus au sérieux. Eux, que l'on fourrait au cachot pour une agrafe mal accrochée, ils ont pris l'habitude depuis la mort de l'Autocrate de se promener sans col, sans cravate, sans tricorne. A Kiev, ils s'habillent en Polonais ou en Ukrainiens de fantaisie. A Kazan', ils s'affublent de fourrures et portent gourdin. A Moscou, ils

60. PANTELEEV, 1958, p. 168-184.
61. *Polnoe Sobranie Zakonov,* t. XXX, p. 444, n° 29448, et p. 252, n° 2905. Voir aussi *Supplément* au t. XXX, feuille 37.

vont en chemises et bottes russes. Mais toujours, sous prétexte de les finir, ils ont soin de porter les vieux dolman et les vieilles culottes en drap de l'Etat, assez pour montrer qu'ils sont bien étudiants. La suppression de l'uniforme les choqua.

> « C'est une nouvelle ère de la vie étudiante, dit l'un d'eux, ' l'ère sans uniforme '. Je liais à tel point l'idée d'étudiant avec le col bleu, qu'il me semblait incroyable, je dirais plus, offensant, qu'il soit aboli *de jure*... Avec l'anéantissement du col bleu auquel était lié tant de rêves politiques, la fraternité étudiante perdit beaucoup de son allure sympathique et se présenta comme un mélange de langues, de conditions sociales, de costumes. » [62]

Cette affaire de l'uniforme est minuscule, mais symbolique. Elle révèle physiquement ce qui se passe sur d'autres plans. L'Etat a renoncé à déterminer d'en haut la condition étudiante en fixant la largeur des revers et le nombre des boutons. Mais il refuse aussi de lui accorder le statut d'un corps — lequel en Russie est inséparable d'un *mundir*, d'un uniforme. Alors, c'est d'en bas, les étudiants eux-mêmes qui inventent leurs emblèmes de reconnaissance. Il n'y eut plus d'uniforme, mais une mode étudiante. Elle ne se référait pas à l'Université, mais à l'idéologie. Ce sont les cheveux longs pour les garçons et courts pour les filles, les lunettes bleues, les barbes « à la Garibaldi » [63], etc. Kropotkin, un peu plus tard, pouvait écrire :

> « Une jeune fille portait-elle des cheveux courts et des lunettes bleues ; un étudiant s'habillait-il en hiver d'un plaid écossais au lieu de revêtir un pardessus, cela suffisait pour les dénoncer comme suspects. » [64]

Les cols bleus désignaient les étudiants, mais les plaids, portés par les mêmes garçons, désignaient les nihilistes.

La vie culturelle

La substitution de l'organisation en *kružok* à l'organisation institutionnelle trouve son correspondant culturel dans le mépris pour la « Science universitaire » et l'engouement pour les valeurs nouvelles d'athéisme et de révolution. Au panthéon des jeunes gens, les professeurs libéraux (Kavelin, Kostomarov) sont remplacés par les journalistes radicaux.

62. Svinyn, 1890, p. 14-15.
63. Il y avait la « barbe espagnole » (pointue), mais elle marquait moins le sentiment démocratique que la barbe « à la Garibaldi ». *Cf.* Nikoladze, 5, 1927, p. 29.
64. Kropotkine, 1902, p. 317.

Il faut se garder de simplifier. Il y a, par rapport à la culture, plusieurs types d'étudiants, et aussi plusieurs générations qui vivent ensemble. Les contemporains distinguaient l'ancienne vague, qui gardait l'empreinte de la *nikolaevščina*, et la nouvelle. Au vieux type se rapportait le genre soudard, buveur, coureur, pilier des maisons du Zagibennyj pereulok ; et le genre bachoteur qui ne lisent que leurs manuels et n'écoutent que les professeurs de leur faculté [65]. Ces derniers formaient une masse importante, stable, qui « vénèrent la science », mais comme moyen de s'adapter et non de contester la société. Ils n'ont pas de prestige. Les deux prix d'excellence du gymnase de Vologda, qui sont reçus premiers à l'examen d'entrée de l'université de Pétersbourg, passent vite pour ridicules. En effet, ils ne lisent pas les revues et ne connaissent pas les *Récits d'un chasseur* ! L'un d'eux, un fils de paysan pourtant, ne s'intéresse pas à la libération des serfs ; ils reprochent aux professeurs de Moscou d'être plus hommes de lettres que savants ; enfin, ils en veulent à Kavelin d'écrire dans les journaux ! [66] Le bon élève n'est pas un idéal étudiant.

La nouvelle vague apparaît vers 1858. Ce qui la caractérise, c'est que le foyer de sa vie intellectuelle se trouve en dehors du cercle universitaire. Les soutenances de thèse n'attirent plus autant du monde que dans les années quarante. Elles sont d'ailleurs moins excitantes à Pétersbourg qu'à Moscou, et elles ne restent dans le souvenir que pour les incidents qu'elles ont pu motiver et pour leur contenu scientifique ou plutôt « social ». Les « disputes publiques » font plus de bruit. Les deux principales furent celles qui opposèrent deux criminalistes de Moscou et de Pétersbourg, et surtout celle qui mit aux prises Kostomarov et Pogodin sur l'origine des Varègues. Mais les passions vont vers ce qui se passe à la ville : les journaux, le théâtre, la littérature.

Le théâtre est une passion. L'étudiant préfère rester plusieurs jours dans une demi-famine que de ne pouvoir débourser les 30 kopeks nécessaires pour pénétrer dans le « temple de l'art ». On applaudit Ostrovskij, Pisemskij, Potehin ; à l'Opéra, les célèbres chanteurs Kurov, Demidov, Vladislavev, Fricci, Baraldi ; au Ballet, les débuts de Saint-Georges et de Petipa.

> « Pour l'étudiant de mon temps, le théâtre constituait l'alpha et l'oméga de ses aspirations vivantes. C'est de là qu'ils tiraient leur nourriture spirituelle. » (Svinyn.)

65. PANTELEEV, 1958, p. 215-218. Il faut noter que les étudiants étaient conscients d'un antagonisme entre les nouveaux appétits de culture et le recul des mauvaises mœurs. La salle de lecture de Kazan' « est un moyen d'arracher les étudiants aux estaminets et aux maisons publiques... On n'y voyait jamais d'eau-de-vie ». HUDJAKOV, 1882, p. 28.
66. PANTELEEV, 1958, p. 132.

Mais ce qui marque durablement, c'est la lecture. Que les étudiants lisent les romans et les journaux, les contacts multiples qu'ils ont avec la société l'expliquent aisément. Ils fréquentent les salons, ils vont aux soirées littéraires, ils font du journalisme. Collaborer comme rédacteur ou pigiste à une revue, est une occupation classique de la jeunesse étudiante. Les rédactions sont encombrées de jeunes gens [67]. Mais, plusieurs années avant la réforme, on aperçoit les signes d'une dérive de la curiosité vers la littérature radicale, puis d'une véritable prise de possession de la littérature illégale.

L'accès aux idées radicales était donné d'abord par la lecture du *Sovremennik*, qui d'ailleurs ne passe pas encore (1858-1860) pour révolutionnaire. C'est au début une affaire de mode :

> « C'est le journal le plus répandu chez les étudiants, mais son influence s'efface vite. Plus d'un, après avoir assimilé rapidement les idées du *Sovremennik*, devenait un *činovnik* particulièrement coriace. De même, l'anglomanie développée par la lecture du *Russkij Vestnik* est très vite abandonnée. » [68]

Ces épaisses revues, chères mais qui passent de main en main, sont les « digests » d'une culture autrement mal accesible [69]. Il y a peu de bibliothèques privées de prêts. A Pétersbourg, deux ou trois seulement. La meilleure, celle de Kroešenikov, ne donne pas facilement les nouveaux livres et les revues aux étudiants. De plus, elle est chère. Alors, deux étudiants montent, dans l'enceinte de l'université, une bibliothèque sur des bases commerciales et l'abandonnent bientôt à la gestion de leurs souscripteurs. Ceux-ci rédigent un statut, nomment un conseil. En fait, elle est dirigée par deux étudiants, Lobanov et Jakovlev. Bien que ce dernier soit devenu, plus tard, un révolutionnaire, la bibliothèque ne paraît pas subversive [70]. Elle ferme le soir. Elle n'est pas un lieu de ressemblement ni un club, et le contenu de son catalogue est légal. A Kazan', par contre, la bibliothèque est une salle de réunion.

> « Les étudiants qui, par hasard, avaient manqué l'heure d'un cours et ceux à qui la paresse ou la maladie d'un professeur faisaient des loisirs, pouvaient passer là leur temps de façon agréable. Ils lisaient, engageaient des discussions, échangeaient des renseignements et des idées. » [71]

67. Dobroljubov (le *Sovremennik*), Pisarev (*Russkoe Slovo*), Panteleev (*Osnova*) étaient déjà journalistes avant d'avoir quitté l'Université.
68. Panteleev, 1958, p. 160.
69. Il y avait en effet l'obstacle des langues étrangères. Pas un étudiant sur dix ne les connaît et on traduit très peu de livres scientifiques étrangers. Les revues comme le *Sovremennik* et le *Russkij Vestnik* contiennent toujours des mises au point et des vulgarisations commodes. *Cf.* Panteleev, 1958, p. 160.
70. Panteleev, 1958, p. 159.
71. Hudjakov, 1882, p. 28.

Quelles idées ? Quelles lectures ? Faute de mieux, il faut se fier à leurs souvenirs. Mais ce sont les mêmes noms qui reviennent. Le fonds russe est commun à la société progressiste d'alors : littéraire (Turgenev, Nekrasov, Mihajlov, Plešnev) et philosophique, à travers les épais articles de Černyševskij sur Lessing, sur Pouchkine, sur la période de Gogol', à travers Belinskij aussi. Les vingt volumes des œuvres de l' « impétueux Vissarion » reproduisent une évolution que l'étudiant parcourt en quelques années, et « qui va du schellingisme le plus religieux au réalisme athée »[72]. Belinskij est aussi le guide obligé vers la littérature occidentale, saisie à travers George Sand, Hugo, Sue, Dickens, Heine[73].

Nous aurons l'occasion de parler plus en détail de la politisation des étudiants. Mais il faut noter ici que la littérature clandestine — ou tout à fait clandestine — est, au moins jusqu'en 1860-1861 et jusqu'à la formation des premiers cercles révolutionnaires, très difficile à se procurer. Panteleev, qui vit pourtant dans un secteur précocement radical, ne peut jeter les yeux sur un numéro du *Kolokol* qu'en troisième année d'études, en 1861, et par l'intermédiaire du militant confirmé qui gère la bibliothèque étudiante. Pour connaître de Herzen autre chose que le nom légendaire, il faut avoir assez d'argent pour acheter ses œuvres chez certains libraires et bouquinistes qui se font payer le risque au prix fort, ou bien encore connaître des gens haut placés dans l'administration[74]. Ce n'est que dans ce milieu qu'on lit le *Kolokol* régulièrement et qu'il n'est pas dangereux de laisser traîner sur la table une feuille que le tzar reconnaît lire de temps en temps. Autrement dit, ce sont les étudiants les plus fortunés et des meilleures familles qui approchent les premiers de la littérature herzenienne. Hudjakov, à Kazan', rapporte que, dès 1858, on

> « copiait avec ardeur infatigable les brochures de Herzen et en général les publications défendues. On se passait les uns aux autres ces manuscrits qui, à force de circuler de main en main, finissaient par être tout déchirés »[75].

Mais il ajoute que, de la sorte, il devient très vite, en politique, partisan du régime constitutionnel ! On sait que ce n'est pas Herzen qui a pu l'engager dans cette voie.

Au vrai, les témoignages suggèrent que la crise spirituelle des étudiants

72. Sorokin, Ostrogorskij, Hudjakov, Derkačev, Panteleev, tous nos informateurs habituels répètent les mêmes noms à travers leurs souvenirs. Un absent de marque : Lavrov, tout à fait inconnu en 1860. *Cf.* VITJAZEV, 1915, p. 136.
73. On note cependant un déclin de Belinskij après 1861, sous l'influence du nihilisme et du matérialisme. Nikoladze lisait son article sur Pouchkine à la forteresse Pierre-et-Paul, en 1861. Son voisin de chambrée l'engagea à abandonner ces billevesées pour l'article de Černyševskij « sur la période gogolienne de la littérature russe ». NIKOLADZE, 1927, p. 46-47.
74. PANTELEEV, 1958, p. 159.
75. HUDJAKOV, 1882, p. 28.

n'est pas dominée par le politique mais par le religieux, au moins jusqu'en 1861. C'est le passage à l'athéisme qui est le grand travail intérieur de la jeune génération. C'est autour de l'athéisme, dogmatisé, que s'organise la culture étudiante, à laquelle s'adjoint mais secondairement, un credo politique.

Dans les premières années de la Veille, le problème métaphysique hante la jeunesse. Nous avons signalé un *kružok* d'inspiration chrétienne, fonctionnant à Pétersbourg. A Moscou, ils sont plus nombreux, plus attrayants, en raison de la participation d'écrivains slavophiles. L'un d'eux a pour centre un étudiant qui attire les cœurs, Derkačev. On y trouve des étudiants, des officiers, des prêtres de campagne qui, chaque soir, viennent écouter Aleksej Stepanovič Homjakov comme directeur de conscience. On l'écoute religieusement discourir, les jambes repliées sous lui, assis sur le divan. « Il voulait nous séduire, mais nous, les provinciaux, nous ne comprenions goutte à Hegel ! Après la séance, nous cherchions dans les livres les expressions obscures. » [76]

Le christianisme slavophile est peut-être la dernière chance du christianisme dans le cœur de ces jeunes gens, préparés par toute leur éducation lycéenne à rompre avec la foi orthodoxe. C'est alors qu'ils tombent sur le matérialisme scientiste qui arrive d'Allemagne. Enfin Büchner vint !

> « Un beau jour (c'était en 1859), comme une véritable bombe, arriva sur nous *Force et matière* en traduction lithographiée. Tous le lirent avec une grande passion et tous abandonnèrent d'un seul coup ce qui leur restait des croyances traditionnelles. » [77]

C'est le « d'un seul coup » qui est étonnant. S'il est vrai que l'athéisme soit une affaire de longue haleine, il est peu vraisemblable que les énergies religieuses se soient ainsi dissipées dans le vide. Mais, « d'un seul coup » elles se sont investies ailleurs, justement dans l'idéologie matérialiste. Ils fondent ce que Berdjaev appela plus tard le matérialisme croyant.

« Malgré mon ancienne dévotion, écrit Hudjakov, je me détachais sans grand effort des croyances religieuses. » Et pourtant, les « preuves » de l'inexistence divine semblent cherchées avec angoisse :

> « A la vérité, lorsque le doute me tourmenta sérieusement, je priais avec ferveur Dieu et la Sainte Vierge dont les images étaient accrochées dans ma chambre. Je leur demandais de faire un miracle pour raffermir ma foi chancelante. Mais je ne fus pas exaucé...

76. DERKAČEV, *in Vospominanija studenčeskoj žizni,* 1899, p. 230-231. Le même Derkačev rapporte que la bibliothèque de l'université de Moscou ne contenait rien que les plus modérées des revues mais que chez les bouquinistes de la rue Nikolskaja on trouvait Belinskij, Čaadaev, Saltykov, Dostoevskij et même Iskander. *Ibid.,* p. 229.
77. PANTELEEV, 1958, p. 164.

> Alors je recourus à un autre moyen pour provoquer le miracle, j'essayai du blasphème et, m'adressant à une icône noircie par la fumée, je me mis à lui chanter : ' Petit Dieu (*Boženka*), Petit Dieu, mon Petit Dieu, pourquoi donc, mon Petit Dieu, es-tu si noir ? '
> Mais il n'y eut pas de miracle. Alors je passai l'éponge là-dessus, et je cessai d'aller à l'église. »[78]

Comme les libertins du XVIIe siècle français, les étudiants russes ne rejettent pas Dieu sans l'avoir interrogé avec passion. Et que de passion aussi dans le rejet !

A Dorpat, l'étudiant Boborykin s'est familiarisé avec Vogt, Büchner et Moleschott dès 1856, et il s'étonne de l'engouement des Pétersbourgeois pour ces livres qu'ils découvrent avec quelques années de retard :

> « Alors, les étudiants et les étudiantes répétaient dans une sorte d'extase : l'homme est un ver ! (formule d'origine darwinienne semble-t-il). Dans cette formule résidait pour eux tout le savoir, qui ne recevait pas seulement un sens scientifique, mais un sens révolutionnaire. »[79]

La révolution religieuse se double d'ordinaire de l'adhésion à la révolution politique, mais la précède et souvent lui survit. Il ne peut être question ici que de la situer par rapport au milieu étudiant, et de fixer la chronologie. Tout porte à croire qu'en 1861 la masse étudiante n'est pas gagnée par le populisme naissant mais qu'elle a déjà subi cette mutation intellectuelle et religieuse qu'est le scientisme matérialiste, et qui est une mutation plus irréversible que le passage à la révolution. Comme l'écrit l'un d'eux :

> « Les idées sociales et politiques d'avant-garde, malgré le brillant succès du *Sovremennik*, avaient une audience assez limitée dans la jeunesse, et beaucoup ensuite s'en détachèrent assez facilement... Mais les idées de Büchner, de Feuerbach conquirent du premier coup la conscience de l'homme russe et aucun effort postérieur de la réaction ne fut en mesure de faire revenir la société vers la foi naïve d'autrefois. »[80]

Ainsi, ayant rejeté ce qu'ils appellent avec mépris « la science universitaire », les étudiants s'installent dans une culture de rechange. Ce n'est pas exactement la culture de la partie éclairée de la société russe : simplificatrice dans ses options métaphysiques et politiques, dogmatique, attirée par l'ailleurs de la culture allemande et par le prestige de la littérature interdite.

78. HUDJAKOV, 1882, *ibid.*
79. BOBORYKIN, 1929, p. 208.
80. PANTELEEV, 1958, p. 164.

IV. La crise de l'Université

1. LES ÉTUDIANTS ET LA POLITIQUE

La conquête de l'Université

Aussitôt après la mort de l'Autocrate, l'oppression et la peur disparaissent des universités. Il n'est plus question de les transformer en école de cadets. Les universités de Kiev et de Kazan', soumises depuis des années au général gouverneur, retournent sous l'autorité du curateur (1855). L'inspecteur perd son pouvoir de surveillance hors les murs de l'université. Le ministre Norov, qui entre en fonction en 1855, passe pour libéral. Libéraux aussi sont les nouveaux curateurs de Pétersbourg (le prince Ščerbatov), de Moscou (Evgraf Kovalevskij), de Kazan' (le prince Vjazemskij) et surtout de Kiev (le fameux Pirogov). Les barrières élevées depuis 1849 pour gêner l'accès de l'Université aux roturiers tombent avant qu'elles aient eu quelque effet. La *maršírovka* et les cours de science militaire sont abolis, et les chaires supprimées sont peu à peu rétablies. Plus de revue de détail. Les inspecteurs de la vieille école s'en vont ou se résignent. Ce n'est pas que les dispositions réglementaires aient été changées : il faudra attendre 1863 pour que soit promulgué le nouveau statut universitaire. Mais dans l'attente, quelques mesures sont prises, le climat n'est plus le même et la pratique devance la loi. Le maximum de liberté est atteint, avant la promulgation du nouveau statut, sous l'empire désobéi de la législation de Nicolas Ier.

Le statut externe de l'Université est donc aussi flottant que le statut interne. L'Université offre un lieu commode au mouvement étudiant, flottant lui aussi. Car l'opposition politique, que les témoins, fonctionnaires ou professeurs responsables sentent grandir pendant ces années, n'est au départ qu'un des aspects d'une crise d'adolescence, avec son ambivalence fondamentale : révolte contre le monde adulte (c'est l'organisation en *kružok* et la culture à part) et volonté d'y prendre place : les étudiants partent à la conquête de l'Université, veulent être les patrons. C'est ainsi que se mêlent des chahuts contre les professeurs, des rébellions contre la police et les débuts de conspiration contre l'ordre établi.

Chronique des chahuts[1]

C'est à Moscou et à Kazan' que se produisirent les principaux heurts. Les étudiants se déclarèrent insatisfaits de l'enseignement qui leur était dispensé et par toutes sortes de pressions s'efforcèrent de transformer le renouvellement normal des cadres professoraux en une espèce d'épuration. En 1858, à Moscou, le professeur Majkov fut tellement sifflé qu'il dut renoncer à sa chaire[2].

La même année, en novembre, les étudiants de la faculté de médecine chassèrent de l'amphithéâtre le malheureux Varnek, professeur d'anatomie et de zoologie, nul et paresseux au point d'attirer la vindicte de son auditoire. Cela fit une histoire. Le boycott ayant été décidé, les autorités exigèrent des étudiants un certificat de présence. Une commission d'enquête interrogea les étudiants, et, classant leurs réponses, en désigna une centaine pour l'exclusion. En fin de compte, le ministre n'en retint que douze et laissa aux autres la chance du repentir. Trois d'entre ces derniers refusèrent d'ailleurs cette honteuse mansuétude et furent exclus. Mais Varnek fut obligé d'abandonner sa chaire[3]. Ce fut aussi le sort du professeur de droit Ornjatskij, déplorable successeur du grand Redkin ; de Leont'ev, bon latiniste pourtant mais journaliste occupé, enclin à venir en retard à ses cours, à traiter les étudiants d'idiots, de collégiens, de polissons, etc.[4]. Les polissons demandèrent des excuses, rédigèrent une pétition, signée par soixante et un d'entre eux, mais approuvée moralement par les autres. Mais ni le doyen Solov'ev ni le recteur Alfonskij n'étaient d'humeur à céder. Trois signataires furent exclus (dont Hudjakov, qui participa plus tard à l'attentat de Karakozov). On siffla encore, mais sans énergie ni unanimité. Deux siffleurs furent encore exclus, qui entrèrent plus tard dans la première *Zemlja i Volja.* Défaite encore devant le latiniste Klin, qui avait eu l'imprudence de traiter les étudiants de garnements (*malčiški*). Etonnante susceptibilité !

A Kazan' les étudiants eurent la partie plus belle[5]. Bervi (père du révolutionnaire Bervi-Flerovskij) reçut une lettre de soixante-dix de ses élèves, qui le remerciaient avec politesse d'avoir si longtemps enseigné la physiologie, et le priaient, pour des considérations d'âge et de santé, de céder la place à un collègue plus jeune. Bervi transmit la lettre au ministre, exigea des excuses. Elles furent faites, mais son amphithéâtre resta désert. Dobroljubov faisait de lui, dans le *Sovremennik*, une critique fracassante qui mit la « société » contre lui. Il se retira sans

1. Avant tout, AŠEVSKIJ, 9, 1907. Sur l'université de Moscou on trouve quelques renseignements dans TKAČENKO, 1958.
2. *Kolokol* 16, 1858, p. 132.
3. *Kolokol* 55.
4. *Kolokol* 62.
5. AŠEVSKIJ, 9, 1907.

dégâts. L'historien Vedrov n'était plus capable que d'un cours balbutié et confus. Ayant eu vent des vers satiriques qui couraient sur son compte, il eut la générosité de proposer à ses élèves de s'en aller s'ils en manifestaient le désir. Ils le manifestèrent et il s'en alla. L'helléniste Šargde se retira aussi de son plein gré. Le latiniste Struve ne voulait pas se laisser faire. Il y eut des cris, des sifflets (sept exclusions), aux termes desquels il donna sa démission, suivi de deux professeurs allemands de la faculté de médecine.

Rien de « politique » apparemment ne doit être cherché dans ces petites rébellions où les étudiants, persuadés d'être les porteurs des lumières, aident un peu brutalement l'Université à faire peau neuve. Ils disent vouloir de bons instruments de travail, des professeurs jeunes et compétents, des bibliothèques bien équipées. Ils veulent aussi, sans y voir la moindre contradiction, que l'assistance aux cours ne soit plus obligatoire et que les répétitions soient supprimées.

Rien ne se passa dans les universités de Pétersbourg ou de Kiev, éclairées par Kavelin ou Pirogov. Mais la prétention vraiment nouvelle et scandaleuse des étudiants de s'ingérer dans les affaires professorales provoqua chez les professeurs une réaction d'esprit de corps. Ils passèrent du côté de l'ordre et de la discipline. A Kazan' et à Moscou, ils furent, au moment de la flambée de l'automne 1861, contre leurs étudiants[6].

Une autre série d'accrochages se produisait en même temps entre les étudiants et les autorités disciplinaires ou la police. La guérilla de l'uniforme, « guerre des boutons et des crochets »[7], dura de 1856 jusqu'à l'abolition définitive de l'uniforme étudiant. Puis la chronique relève toute une série d'incidents qualifiés « d'histoires », dont le retentissement révèle l'atonie de la vie sociale et la nervosité d'une jeunesse qui réagit trop fort à propos de rien ou de presque rien.

Donnons quelques exemples. A Kazan', en 1856, certains étudiants se conduisirent très mal. Il y eut un mari offensé, des familles indignées, deux officiers rossés, des bals troublés, des sanctions prises. Mais les étudiants se défendirent collectivement, conspuèrent corporativement le curateur et l'inspecteur. Ces *shodki* marquèrent la transition entre la période « débauchée » et la période sérieuse de l'université de Kazan'[8]. En 1857, un étudiant de Kiev, ayant bousculé le chien d'un colonel, reçut un coup de cravache. Encore une fois, la solidarité étudiante se montra théâtralement. Polonais et Russes, littéraires et scientifiques furent au coude à coude. Pétersbourg jugea nécessaire d'envoyer sur

6. L'opinion des professeurs de Moscou est exposée dans un document capital que le *Kolokol* publia dans ses nos 126 et 127 : « Istoričeskaja zapiska... » (titre complet dans la bibliographie. On se référera au titre résumé). Ce rapport est signé des professeurs Solov'ev, Bodjanskij, Leont'ev, Eševskij et Čičerin.
7. Guérilla particulièrement vive à Kazan'. *Cf.* FIRSOV, 3, 1889.
8. AŠEVSKIJ, 9, 1907, p. 47 et ss.

place un *fligel'-ad''jutant* : quelques garçons furent envoyés au cachot, puis libérés [9].

A Moscou, la même année, un étudiant recevait quelques camarades. L'un d'eux partit tard dans la nuit pour dénicher quelques bouteilles de rhum et de champagne. Mais quand il revint, la police, qui l'avait pris pour un voleur, voulut perquisitionner, enfonça la porte, rossa les convives. Le gouverneur protégea les policiers, dénonça le « soulèvement » (*bunt*) des étudiants. Ceux-ci, réunis en *shodka*, revendiquèrent le droit de n'être arrêtés qu'en présence d'un délégué de l'université. Ils furent défendus par leur ministre qui s'indigna du « banditisme » de la police. Le tsar lui donna raison. Toute la ville salua cette décision. Herzen écrivit dans le *Kolokol* : « Nous voyons une nouvelle preuve que le temps est loin où la police avait tous les droits. » [10] Mais, quatre ans plus tard, les professeurs de Moscou jugeront rétrospectivement que cette affaire avait été la première manifestation d'unité étudiante, et le point de départ de la pratique des *shodki* et des délégations, cette fois-là couronnée de succès [11]. A Pétersbourg, en décembre 1858, un officier de pompiers injuria les étudiants qui voulaient franchir un cordon de police : « Battez ces canailles ! » *Shodka*, commission d'enquête, gain de cause [12]. A Kazan', les veilleurs de nuit avaient bâtonné un étudiant qui rentrait chez lui d'un pas légèrement chancelant. Les étudiants se gardèrent de manifester, mais obtinrent quand même satisfaction. Il ne fut pas jusqu'à la silencieuse université de Har'kov qui ne fût le siège d'une « histoire ». Le curateur avait prononcé l'exclusion de deux étudiants, pour « débauche » (*deboš*) publique, en fait pour avoir réveillé par leur tapage le prince Saltykov et avoir battu le domestique envoyé par celui-ci. De nouveau on vit de grandes *shodki*. Cent trente étudiants, et des meilleurs, parlèrent de démissionner (1858). Alexandre, venu en visite, fit arrêter deux étudiants qui avaient négligé de le saluer et exprima son mécontentement à tous, maîtres et élèves [13]. Le climat commençait à se gâter.

Les étudiants, patrons de l'Université ?

Les manières changent vite. En trois ou quatre ans le personnage de l'étudiant s'est métamorphosé. Il se sent le maître. Ecoutons l'un d'entre eux :

> « Déjà en 1858 et 1859, les étudiants qui entraient à l'Université n'étaient pas comme nous, ceux de la troisième et quatrième année.

9. *Ibid.*
10. *Kolokol* 8, 1858.
11. *Istoričeskaja zapiska.*
12. NIKITENKO, 1955, t. II, p. 49.
13. *Kolokol* 22, p. 57-58. Pour la participation de la société secrète de Bekman, etc., à cette manifestation, JASTREBOV, 1960, p. 190-209.

En entrant, nous étions timides, enclins à la bonne conduite, disposés à regarder le cours et la parole du professeur comme une nourriture spirituelle et comme une manne céleste. Les nouveaux étudiants, bien au contraire, étaient hardis et sans gêne. Leurs plumes poussaient si vite que, deux mois après leur entrée, ils semblaient les patrons de l'Université. »[14]

Choyé, fêté en ville, l'étudiant finit par jouir d'une sorte d'immunité. S'il y a désordre, la police a tout juste le droit d'amener le délinquant aux autorités universitaires, sans pouvoir prendre aucune mesure répressive. Pour surveiller les étudiants en ville et chez eux, on a commis des jeunes officiers de la garde, presque des étudiants par l'esprit, et d'une indulgence sans borne pour ces camarades si aimés et si à la mode. Le droit de pétition et de manifestation n'est pas reconnu, mais les *shodki* sont nombreuses et tolérées.

« La société russe a donné aux étudiants une telle idée de leur dignité qu'à peine s'il en existe une semblable dans les autres pays. L'étudiant n'est plus un élève, mais est en train de devenir un maître et un guide pour la société. »

Pour les adultes, l'étudiant est ce qu'ils n'ont pas pu être, ce qu'ils ont été empêchés d'être. Ils les regardent « avec quelque orgueil et quelque respect ». Aux yeux de beaucoup, l'étudiant est « l'espoir futur de la Russie ». Mais une telle attitude, notent avec inquiétude les auteurs du rapport que nous citons,

« a suscité un état d'esprit qu'il est impossible de considérer comme normal... Les étudiants finissent par considérer les *shodki* et les élections comme un droit qui leur appartient naturellement... Les événements récents leur ont donné l'idée qu'ils peuvent, par ces moyens, prendre part à la direction même de l'Université, ce qu'on ne peut bien sûr tolérer. »[15]

On ne peut le tolérer : l'Université peut à la rigueur constituer un îlot de démocratie directe, mais à condition que cela ne se voie pas trop. Dans la société russe, il n'est pas possible de donner une forme juridique à cette liberté de fait, sans introduire une incohérence dans la législation. Mais c'est justement parce qu'il n'y avait pas de statut et que l'on vivait simplement dans une suspension d'application des règlements anachroniques de Nicolas que les étudiants agissent témérairement, surestiment leur force et s'exposent à une réaction aussi brutale qu'inattendue.

14. PISAREV, *Naša Universitetskaja Nauka,* ch. XVI, cit. AŠEVSKIJ, 9, 1907, p. 47.
15. *Istoričeskaja zapiska,* p. 1047.

Les premiers coups de freins, encore timides, sont perceptibles à partir de l'automne 1858. Il est rappelé aux étudiants qu'ils n'ont pas le droit d'exprimer leur opinion sur leurs professeurs par des applaudissements et des sifflements, ou en quittant l'amphithéâtre ; que les *shodki* sont interdites ; que les contrevenants seront exclus, quel que soit leur nombre (17 décembre 1858). A Moscou, la reprise en main est sévère. La confession et la communion annuelles sont exigées. L'assistance aux cours redevient obligatoire et ils devront être écoutés dans un silence profond. L'uniforme devra être porté correctement. Plus de réunions, de discours publics, de bruits mensongers ; il sera interdit de diffuser des œuvres mal intentionnées (*zlonamerennyj*), de fumer dans l'enceinte, de porter la barbe, la moustache, des cheveux longs, une canne... A Har'kov, le gouverneur, pour extirper une société secrète, fait procéder à des perquisitions, sans que le recteur ose protester [16]. A Kiev, seule l'autorité morale de Pirogov empêche des exclusions administratives. A Kazan', dix-huit étudiants sont chassés de l'université et de la ville pour avoir applaudi le professeur Bulič en présence du curateur. Le lendemain, cent trente-sept étudiants demandent un congé ou la mutation dans une autre université pour raison de famille et de santé. Menacés d'être exclus en bloc, ils cèdent, mais les *shodki* se poursuivent [17]. En 1860, le malaise est sensible. Les étudiants, sûrs du soutien de la « société », se croyant invulnérables, vont au-devant de la crise.

Premiers pas politiques

Il y a entre la mort de Nicolas et l'attentat de Karakozov un déplacement du centre de gravité de l'opposition politique. Elle était diffuse dans la « société », c'est-à-dire dans la classe instruite, la noblesse libérale, les fonctionnaires éclairés. Elle descend dans la jeunesse étudiante. Enfin elle se concentre dans les groupuscules révolutionnaires. Comme il est naturel, elle se radicalise à mesure qu'elle compte moins de participants et que ceux-ci ont moins de responsabilités [18]. Etudier les rapports des étudiants avec la vie politique revient donc à montrer comment ils sont gagnés à l'attitude oppositionnelle, puis comment se sont détachés d'eux des équipes révolutionnaires, recrutées parmi eux mais ne les représentant plus.

Mais si le mouvement étudiant fut bref — puisque sa phase militante prit fin en 1862 —, une tradition était fondée, qui dura en Russie autant que l'ancien régime. Comme l'a écrit justement Venturi :

> « Il sera d'un grand poids sur toute l'histoire moderne de la Russie que, dans le bref espace de trois ou quatre ans, le milieu

16. *Kolokol* 77-78, 1er août 1860.
17. Aševskij, 9, 1907, p. 60-64.
18. *Cf.* la critique de la vie étudiante par A. S. Izgoev, dans *Vehi*, 1909, p. 190-201.

étudiant ait été conquis largement et parfois profondément par des polémistes révolutionnaires, par des partisans de la libération complète des serfs, par des tenants du socialisme agraire. Toutes les tendances nouvelles, des libéraux aux démocrates et socialistes, s'étaient disputées cette masse, mais la polémique fut brève et la conclusion nette. »[19]

Les étudiants voient beaucoup de monde. Ils vivent dans les salons, dans les rédactions des revues, chez les particuliers où ils donnent leurs leçons, en contact avec l'élite journalistique, littéraire, universitaire. Ils sont cousins de l'aristocratie de la ville. Ils lui sont recommandés par leurs parents. Et pourtant ils ne se contentent pas de refléter l'opinion ambiante ; celle-ci est réfractée dans le milieu particulier de leur *kružok*, de leurs bibliothèques. A la mort de Nicolas, ils n'avaient pas d'opinion. Ils représentaient une force virtuelle qui pouvait théoriquement s'exercer dans n'importe quelle direction qui leur serait indiquée de l'extérieur. Des libéraux comme Kavelin leur font la cour. Homjakov passe avec eux des nuits entières, sans parvenir à les convertir. C'est qu'ils ont déjà l'esprit tourné dans une autre direction, sans bien savoir encore laquelle. Il n'est que de regarder les héros qu'ils se donnent. A Pétersbourg, ce n'est pas le brillant Kavelin, mais trois hommes profondément médiocres, quoique propres à servir de symbole. Le premier est le vieux dékabriste Cebrikov. Ce petit homme tout blanc est le martyr. Il entretient son propre culte en racontant ses souffrances à qui veut l'entendre. On sut plus tard qu'il n'avait en rien participé au mouvement dékabriste, mais que, s'étant trouvé par hasard, le 14 décembre, sur la place du Sénat, il avait été cassé de son grade et déporté fortuitement.

« Nous fûmes déçus quand, à la fin de l'année (1858), nous apprîmes qu'il avait pris un emploi dans la ferme des eaux-de-vie, institution alors haïe. »[20] Le second est le colonel Krasovskij. Chauve mais orné d'immenses moustaches, il assume le double personnage bien russe du « patriote » et de l' « enthousiaste ». Il fait profession d'adorer la Jeunesse et l'Avenir. Le mot peuple a pour lui quelque chose de sacré. « Il le prononçait d'une voix tremblante avec des larmes dans les yeux et une gesticulation nerveuse. »[21] Le troisième, Tabenskij, est le Patriote polonais. C'est un ascète, qui ne fume ni ne boit et qui « nous arracha la promesse de ne jamais entrer au service de l'Etat ». Avant que les idées ne se fixent, les sympathies vont à des hommes qui incarnent, le plus vaguement possible, une certaine représentation d'un passé honni, d'un avenir espéré et d'un présent inadmissible.

Il ne faudrait pas imaginer que les étudiants adhérèrent immédia-

19. Venturi, 1952, t. I, p. 366.
20. Sorokin, 1906, p. 620.
21. Ostrogorskij, 1895.

tement à une doctrine politique toute faite. Existât-elle, ce serait le populisme de Herzen et de Černyševskij, qui, d'ailleurs, n'est pas compris de la même manière chez l'un et l'autre auteur et qui n'est pas exposé sous la forme simple et claire qui le rendrait aisément assimilable par des jeunes esprits. Tout ce qu'on perçoit — mais alors fort nettement —, c'est un élan affectif et intellectuellement vague vers les « idées avancées ». Et d'autre part un engagement catégorique en faveur de la réforme paysanne la plus généreusement entendue.

Au départ, donc, un état d'âme, une soif juvénile d'on ne sait quoi, mais de hardi.

> « Avec cette soif impatiente d'action qui... possédait tous et chacun, il n'y avait pas un étudiant qui ne se crût appelé à tenir le rôle de leader social (*obščestvennyj dejatel'*)... Tous se sentaient ' développés ' (*razvitye*) et malgré eux se posaient cette question : Le ' développement ' est-il la conséquence nécessaire du savoir (*znanie*) ? Qu'y a-t-il de plus important, le développement ou le savoir ? Et c'est alors que prit racine la théorie de la vanité (*nelepost'*) de la science pour la science, et que tout savoir devait être soumis à des fins pratiques. »[22]

Le déséquilibre de la balance en faveur du « développement » et au détriment du savoir a des conséquences scolaires que nous avons déjà envisagées. Il a aussi des conséquences politiques : il ne laisse pas de retarder la maturation des idées. Bon cœur vaut mieux que tête bien remplie. Si bien que, même lorsque des textes politiquement consistants tombent sous les yeux des étudiants, ce qui est, croyons-nous, assez rare jusqu'en 1860, ils sont fréquemment compris à contresens. L'un d'eux lit en 1858 une traduction des actes du Congrès de Londres, de 1854. Il est frappé par le discours du révolutionnaire italien Saffi qui affirme notamment que le *meščanstvo* a perdu l'Italie.

> « Je connaissais le *meščanstvo* comme la plus basse classe urbaine, et je ne pouvais comprendre pourquoi ils avaient joué un si triste rôle dans le sort de l'Italie. Et aucun de mes amis ne put m'expliquer que sous ce nom il fallait entendre ' bourgeoisie ', ni quel était le sens de ce dernier mot. »[23]

Mais la légèreté du bagage conceptuel a l'avantage de n'entraver en rien la naturelle aimantation des opinions vers les partisans des réformes, qu'ils soient à cette date libéraux ou précocement conspirateurs. Une seule réforme compte aux yeux des étudiants : l'abolition du servage.

22. Juzefovič, *Tricat' let tomu nazad,* Kiev, 1898, cit. Rennenkampf, 1899, p. 36.
23. Panteleev, 1958, p. 164.

Du *zemstvo*, de la réforme judiciaire ou militaire, nul ne parle. Mais du servage, on en parlait dès le gymnase[24].

Tous ont lu les *Récits d'un Chasseur*. Comme tous les Russes cultivés, les étudiants vivent le grand suspens comme une Veille éprouvante.

> « Du fameux rescrit de 1857 jusqu'au 19 février 1861 ne se sont écoulés en tout que trois ans et trois mois. Mais ce délai relativement court parut à la majorité de la société d'une longueur infinie. »[25]

Mais que représente, pour ces hommes libres, fils d'hommes libres, la libération des serfs ? Une nécessité économique ? Un rajeunissement inévitable des structures sociales de la Russie ? Une garantie à la fois contre Pugačev et contre un paupérisme de type irlandais ? Tous ces motifs qui inspirent les responsables de la réforme sont profondément étrangers à la jeunesse. La question est sentie en termes moraux. Seule compte la Justice. Il n'y a pas un étudiant qui se déclare partisan du maintien du servage, mais s'il y en a un certain nombre qui préféreraient à la solution la plus généreuse la simple remise d'un lot (*darovyj nadel*), c'est parce qu'ils pensent que ce serait Justice.

> « L'horreur de cette situation privée de droit de vingt millions d'hommes était devant tous les yeux, d'autant plus que la majorité de la société russe ne l'avait jusqu'alors presque pas remarquée... Si on avait donné aux paysans seulement la liberté personnelle, beaucoup auraient-ils dit qu'une telle réforme était inutile ? Qu'une telle réforme était un mal (ce que publièrent les populistes) ? Au contraire, l'avis général aurait été que c'est tout de même un bien, quoique très insuffisant. »[26]

Ainsi le sentiment éthique se suffit à lui-même et nul étudiant ne prend le soin de l'ajuster à une réflexion rationnelle sur l'avenir de la Russie.

Pourquoi cette solidarité d'instinct de l'étudiant pour le serf ? Une de ses sources, avons-nous dit, est la mauvaise conscience du « privilégié pensant » ; les étudiants projettent sur le peuple les vertus qu'ils se refusent à eux-mêmes. Mais cette solidarité peut dériver aussi d'un sentiment positif : celui de l'analogie entre leur volonté d'émancipation intellectuelle et morale et l'immense espoir d'émancipation qu'ils per-

24. « En comparaison avec la réforme du servage, toutes les autres étaient dans l'ombre... » « Déjà au gymnase de Vologda je lisais tous les articles concernant le servage. » *Ibid.*, p. 167 et 135.
25. *Ibid.*, p. 165.
26. *Ibid.*, p. 167. « En général ils sont pour la solution la plus généreuse du problème du servage, mais il y en a aussi, à vrai dire peu nombreux, qui pensent que le simple don d'un lot serait justice. Mais je n'en ai pas rencontré un seul qui fût partisan du maintien du servage. » (Ecrit comme se rapportant aux années 1858-1860).

çoivent dans les masses. De la sorte, si la Justice commande moralement la solidarité, celle-ci existe déjà, implicite comme une complicité d'évasion. *Volja! Volja!* Le cri est celui de toute la société russe[27]. Cette aspiration globale et confuse est répandue authentiquement, sinon identiquement, dans l'océan des communautés villageoises et dans les îlots des communautés étudiantes. C'est pourquoi les vieux fonctionnaires reconnaissent dans la fronde étudiante l'épouvantable spectre qui se lève aussi dans le village. Nikitenko, un professeur de la vieille école, l'exprime bien quand il écrit :

> « Les étudiants font du bruit et revendiquent la suppression de toutes les barrières. Tout comme les paysans qui dans quelques gouvernements crient ' Liberté ! Liberté ! ' (*Volja !*), ils ne se rendent pas compte le moins du monde de ce que signifie cette liberté qu'ils appellent. Et que fait le gouvernement ? il gémit ' quelle époque ! quelle époque ! ', et il fait coller sur les murs de l'université des appels à respecter l'ordre et les règlements, lesquels sont bientôt déchirés par les étudiants et remplacés par des appels et des déclarations d'une tout autre sorte. »[28]

Cet état d'esprit complexe de la jeunesse étudiante, comment s'exprima-t-il dans l'action ? Sous une forme complexe elle aussi, dans un faisceau d'actions qui sont autant de tentatives — toutes vaines — pour s'insérer efficacement dans la pratique sociale. La première tentative fut celle des *écoles du dimanche* ; la seconde, le *soulèvement de l'automne 1861* ; la troisième, dans laquelle ne s'engage plus qu'une minorité, nous l'appellerons l'*entrée en révolution.*

2. LE MOUVEMENT DES ÉCOLES DU DIMANCHE

Le mouvement des écoles du dimanche[29] n'a peut-être pas reçu la part d'attention qu'il mérite. Politiquement, il n'a pas de contour précis. Dans la courte période qui a séparé la constitution des doctrines (sous Herzen et Černyševskij) de la constitution des premiers groupes, le mouvement ne représente pas un chaînon, mais seulement une variante possible de l'action, et marginale. Cependant, à deux points de vue au moins, on doit lui reconnaître une importance assez considérable. D'abord, son histoire reflète la dégradation de la grande poussée unanimiste qui soulevait alors toute la couche supérieure de la société russe, et qui finit en fragmentation et en schisme. Ensuite, c'est, à la veille de

27. *Ibid.*, p. 165.
28. Cit. GESSEN, 1932, p. 11.
29. Le seul ouvrage d'ensemble sur la question des écoles du dimanche reste l'ancien et terne ABRAMOV, 1900. Pour les années dont nous parlons, *cf.* le chapitre I, p. 1-78.

la libération des serfs, le premier mouvement « au peuple » de l'intelligentsia russe. Pour la première fois, des jeunes gens de l'Université font l'expérience du peuple russe, non pas dans les domaines de leurs parents, mais dans l'exercice de leurs fonctions d'*intelligent*, dans une salle de classe.

A l'origine, l'idée de donner aux masses un rudiment d'instruction ne vint pas de la jeunesse étudiante, mais de gens du monde gagnés aux idées libérales ou qui continuaient simplement la tradition aristocratique des bonnes œuvres. Dans ces années « où tout le monde veut faire quelque chose » (Stasov), ces personnes de bonne volonté songent d'abord à fonder des écoles permanentes pour les enfants pauvres. En février 1859, quelques officiers et ingénieurs militaires ouvrent, près du jardin de Tauride, dans la capitale, une école destinée à aider les jeunes gens peu fortunés à préparer l'entrée au gymnase, mais qui se transforme presque immédiatement en école élémentaire. La princesse Šahovskaja et la princesse Venevitinova ouvrent à leur tour une école de filles. A Jasnaja Poljana, le comte Tolstoj se prend de passion pour la pédagogie. Mais l'école permanente exige trop de temps de ses fondateurs. En outre, elle ne permet d'instruire qu'un petit nombre d'enfants, alors qu'il est bien clair, qu'au lendemain de la réforme, il est désirable que le plus grand nombre possède un minimum d'instruction civique. Il fallait trouver autre chose. Il y avait bien l'exemple des écoles du dimanche anglaises et américaines, mais elles étaient confessionnelles, se limitaient à l'instruction morale et religieuse, alors qu'on visait, en Russie, un but d'éducation totale : *obščeobrazovatel'nyj*. Les imitations de l'exemple anglo-saxon ne furent et ne pouvaient être que l'exception.

Quant à la psychologie de ces premiers fondateurs, on est tenté d'y voir une sorte de populisme mondain. Voici comment s'exprime un journal religieux :

> « Pour tout homme russe, et particulièrement pour les serviteurs de l'Eglise, il est consolant d'entendre des témoignages d'une sympathie morale mutuelle et d'un rapprochement entre les couches les plus basses et les plus élevées de notre société. Il est consolant de voir le début d'une reconnaissance raisonnable qu'a méritée depuis longtemps, après les hautes classes, le simple peuple, sacrifiant pour elles tout son temps et tout son travail matériel au profit de leur perfectionnement intellectuel et moral. »[30]

Voilà donc, énoncé par une plume chrétienne, le double thème du populisme : la dette à payer au peuple par le seul effort duquel une minorité de Russes jouissent des bienfaits de la civilisation, et le sentiment d'une faute ancienne à rédimer. Stasova, grande militante du

30. *Rukovodstvo sel'skih pastyrej* 1, 1860, p. 101.

féminisme, goûte avec l'école du dimanche la joie d'une immersion dans la masse populaire :

> « Quand donc s'est-il produit que toute une foule immense, tous les possédants et les puissants se sont dressés pour aider les retardataires, les démunis, les pauvres et les faibles, ont cherché à se fondre avec eux, et, les saisissant aux bras et aux aisselles, les tirèrent vers eux des profondeurs marécageuses de la souffrance et de l'ignorance ? Un tel exemple, il est impossible d'en trouver un autre dans l'histoire. Là, les classes hautes et moyennes de la société russe ont commencé soudain à faire avec hardiesse et abnégation ce que, deux cents ans auparavant, Minin et ses compagnons avaient fait à Nižnij-Novgorod. » [31]

Tel est, à peine grossie par le lyrisme inépuisable d'une dame qui faisait profession d'enthousiasme, le climat moral réconfortant d'une bonne action, d'un élan rédempteur de générosité. Mais ce qui distingue Stasova et ses amies de Mme de Ségur est le public visé par leur générosité : non pas, çà et là, des salles de classes pleines d'enfants pauvres, mais le Peuple dans son entier. Ces dames ne se contentent plus de leurs pauvres : elles aspirent à la croisade « au peuple ».

La solution proprement russe, l'école élémentaire du dimanche, fut trouvée par un professeur d'histoire de Kiev, Platon V. Pavlov, brillant représentant de la jeune Université. Il développa son projet dans le journal de la ville et trouva l'entier appui de son curateur, Pirogov [32]. A la rentrée de 1859, dix-sept étudiants de l'Université, un étudiant de l'Académie ecclésiastique, se portèrent volontaires. L'école, qui accueillit une cinquantaine d'élèves, ouvrit le 11 octobre. Pavlov assurait la direction de l'expérience. Vers le même temps, à Pétersbourg, la fille d'un fonctionnaire de rang moyen, M. S. Špilevskaja, installait tables et bancs dans deux pièces de son appartement et recevait une trentaine de jeunes filles [33]. Elle leur faisait le catéchisme et quelques cours de coupe, de broderie et de couture. A partir de ces deux centres, de Kiev et de Pétersbourg, une floraison d'écoles du dimanche s'étendit sur toute la Russie. Au bout d'un an, à Kiev, il y avait sept écoles en fonction. Trois ont été ouvertes par des étudiants, une par les élèves des classes supérieures des gymnases, une par le personnel pédagogique du gymnase féminin et deux, enfin, par les dames de la « société ». A Pétersbourg, en janvier 1861, il y a quatorze écoles en fonction, dont huit ont été fondées par la Chambre des métiers (*Remeslaja Uprava*). A cette date, il existe des écoles du dimanche à Ekaterinoslav (fondée par un professeur de l'école d'*uezd*), à Mogilev, à Kazan, Rjazan', Odessa, Arhangel'sk,

31. *Knižki Nedeli* 4, 1896, p. 169-170.
32. Dans le *Kievskij Telegraf* du 23 sept. 1859.
33. En avril 1859.

Poltava (celle-là destinée aux prisonniers du pénitencier local). En tout, dans trente-six villes de province.

Il faut noter que des écoles existent déjà dans les faubourgs de Moscou (à Možajsk, à Petrovskaja Sloboda, à Kolomna) alors qu'il n'en existe pas dans la ville. Elles furent fondées assez tard, sur la seule initiative des étudiants. Certains cercles demandèrent des renseignements à Pirogov, qui s'empressa de les donner, et le mouvement prit son départ à la fin de 1860. Une matinée littéraire procura les fonds indispensables, et une douzaine d'écoles ouvrirent avant la fin de l'année. Parmi les maîtres, trois étaient prêtres, un diacre, mais dix-neuf étudiants.

C'est en 1860 que l'élan fut le plus fort. Les fondations se font moins nombreuses dès l'automne. On enregistre déjà quelques fermetures à Astrahan', à Odessa. En 1861, quelques écoles s'ouvrent encore à Kronstadt, à Smolensk, à Pskov, puis c'est la fin. Avant même leur suppression définitive de 1862, elles commencent à dépérir. Combien y en eut-il en tout ? Environ trois cents, ce qui est considérable pour un mouvement volontaire et dont la carrière fut si brève. De toutes petites villes eurent leur école : Kostroma, Penza, Perejaslavl', Staraja Rusa. Il suffit qu'il existe un noyau de personnes cultivées de la classe moyenne urbaine. Car les villages ne semblent pas avoir été touchés. Les propriétaires, à la veille du tremblement de terre de l'Abolition, n'étaient pas soucieux d'instruire l'ennemi potentiel, ni même d'entrer en contact avec lui. Le bas clergé ne prit pas part à la grande œuvre ; les quelques écoles d'origine ecclésiastique s'ouvrirent près des séminaires et fort tard. Le mouvement avait un caractère déjà *intelligent* et par conséquent urbain.

On aimerait avoir des renseignements sur le public qui fréquentait ces écoles. C'est un public jeune, et les adultes viennent très rarement. Nous avons la liste des élèves de l'école Kievskaja Podolskaja, en 1859. Il y avait alors 125 garçons, 105 étaient orthodoxes et 2 seulement catholiques romains, ce qui est frappant pour une école kievienne. Peut-être les Polonais, appartenant d'habitude à un milieu social supérieur, savaient-ils déjà lire, ou bien n'avaient-ils pas envie de fréquenter un établissement fondé et tenu par des Russes. Parmi ces enfants, 51 sont des *meščane*, 31 des paysans. Il y a aussi 2 enfants de nobles, 3 de Cosaques et 14 de *kantonist*. Le *soslovie* des autres n'est pas indiqué. Tous sont gens de villes, même ceux qui sont inscrits comme paysans : cordonnier, menuisiers, boutiquiers, cochers. Leur âge ? Six élèves ont plus de vingt-deux ans. La plupart des autres s'échelonnent entre douze et vingt ans [34].

Le mouvement des écoles du dimanche a emporté les milieux les plus divers de la société russe, mais c'est bien la jeunesse universitaire qui

34. CGIA SSSR à Kiev, F. 271/742, D 106, l. 20-35.

a donné le plus d'elle-même. Dans le *kružok* dont faisait partie Ostrogorskij, on se lassait, depuis 1858 environ, de parler sans rien faire. On cherchait à se dévouer. Les *Questions de la vie* de Pirogov avaient fait une impression particulière. Elles montraient les dangers et les bienfaits possibles de l'éducation. L'idée était en l'air. Elle se précisa à l'occasion d'un ébranlement collectif. Un mardi de septembre 1859, le *kružok* se réunit pour la première fois depuis la rentrée. Il n'y a pas d'entrain. La discussion traîne, se disperse entre les petits groupes qui boivent le thé en bavardant. Un des membres du cénacle, l'enseigne de vaisseau Staroljubinskij, poète à ses heures, est arrivé en retard. Il écoute quelque temps sans mot dire, et puis soudain éclate :

> « Bêtise que tout cela, Messieurs ! des phrases, du bavardage ! Nous perdons notre temps en discussions, nous ne faisons rien, alors que d'autres jeunes gens comme nous œuvrent au bien général ; des garçons aussi pauvres que nous donnent leur dernier sou pour servir, dans la mesure de leurs moyens, le peuple et la société. Sachez où j'ai été, ce que j'ai vu ! »

Et de raconter sa visite à l'école du jardin de Tauride, ces enfants pieds nus, si gais... Il a été frappé jusqu'au fond de l'âme. Voilà ce qu'il faut faire ! Tous se taisent, et puis une voix timide s'élève : peut-être pourrait-on organiser une école à Vasilevskij Ostrov ? Nous le pouvons ? Non, nous le devons ! — tel est le cri général. Les objections sont balayées ; jusqu'à l'aube, on tire des plans. Cette petite scène exemplaire a dû se répéter dans beaucoup de villes de Russie où se trouvait un cercle d'étudiants. Le *kružok* d'Ostrogorskij décida de demander conseil à Kavelin qui était encore le directeur de conscience de ses élèves. Le 20 janvier 1860 s'ouvre solennellement l'école de Vasilevskij Ostrov. Parmi ses fondateurs, nous notons un ancien étudiant, célibataire et riche, qui avance quatre cents roubles ; plusieurs officiers de marine, un lieutenant et sept étudiants [35].

Dans les premiers mois de 1860, les écoles s'ouvrent les unes après les autres, particulièrement à Pétersbourg. Presque toujours les locaux sont ceux d'un établissement public d'enseignement : l'école d'*uezd*, les gymnases de garçons. L'une s'installe même dans une caserne. L'administration soutient l'expérience, accorde facilement les autorisations nécessaires. En province on constate pareillement l'initiative des enseignants et des étudiants, et la participation au moins morale de la « société », à Tambov, à Omsk, par exemple [36].

35. OSTROGORSKIJ, 1895, p. 122 et ss.
36. « Le 5 nov. 1859 s'est ouverte à Tambov une école du dimanche dans les locaux du gymnase. Elle est fréquentée par 120 garçons et 50 filles. Les professeurs sont ceux du gymnase et les élèves des grandes classes, des prêtres et des élèves des séminaires, enfin des femmes de la société de Tambov. » CGIAM, F. III, ot., 1 eks, 230, l. 38-40. « Le 30 oct. 1860 s'est ouverte une école dans les bâtiments

Que faisait-on dans ces écoles ? Techniquement, elles n'ont pas été un succès. Elles étaient gratuites, et gratuites aussi les fournitures, par conséquent réduites au minimum. Toujours on eut du mal à pallier l'absence de livres scolaires et à déterminer le programme. On utilise, faute de mieux, le mauvais livre de Zolotov, *Le livre des adultes* (*Kniga dlja vzroslyh*) et les livraisons de *Narodnoe čtenie*, grosse revue agréablement encyclopédique. Dans les numéros de 1860, on trouve une histoire du peuple tchèque, des contes de Pleščev, une enquête sur les ouvriers d'Angleterre, des renseignements sur le poêle russe et la façon de s'en servir pour sécher certaines denrées, sur les maladies des chevaux, sur les lois et les décrets officiels, etc. On a bien l'idée de confectionner un livre spécial pour les écoles du dimanche contenant des notions de sciences naturelles et d'histoire, mais le temps manque. A Pétersbourg on utilisait *Le monde de Dieu*, de Razin, sorte de leçons de choses inaccessibles aux adultes, ou bien *L'ami des enfants*, traduit de l'allemand et souvent étranger à la vie russe.

Le programme, en principe, devait être limité au rudiment : lecture, écriture, arithmétique et catéchisme qui devait être enseigné par des clercs et sous la surveillance de l'éparchie. Or, malgré cette limitation, fermement rappelée par le ministère en mai 1860, les maîtres glissent sans cesse à l'enseignement général. Ils créent des bibliothèques à l'usage de leurs élèves [37]. Celle d'une bibliothèque de Podolie contient des récits de voyage (*L'Afrique*, de Livingstone ; *La description de la terre*, par Grigorovič) et des livres d'histoire : *La capture de Šamyl*, *La soumission de la Sibérie par Ermak*, *Le meurtre du tsarévitch à Uglič*, *Ivan Sussanin ou la mort pour le tsar*, etc. Mais elle contient aussi la littérature russe moderne et la plus engagée : Grigorovič, Marko Vočok, Ševčenko [38]. Inévitablement, le commentaire de la littérature russe moderne est l'occasion de faire connaître à la classe les préoccupations du jeune maître improvisé. Au surplus, celui-ci se résigne mal à seriner l'alphabet. Il n'a pas de formation ni de vocation pédagogique ; les heures de classe se passent fréquemment dans le plus grand désordre [39]. D'une semaine sur l'autre, l'auditoire n'est plus le même. La gérance de l'école est assurée par un conseil dont tous les professeurs font partie : système incommode, lassant. Dans d'aussi mauvaises conditions, la seule récompense est d'accomplir une grande tâche : celle-ci ne consiste pas à instruire quelques gamins, mais à « éduquer le peuple ». L'étudiant

---

de l'école d'*uezd* d'Omsk. Elle est ouverte chaque dimanche de 11 h à 2 h. Un prêtre enseigne le catéchisme et une « société d'enseignement gratuit » les autres matières. 80 élèves, enfants de soldats, de Cosaques, de journaliers, etc. » CGIAM, F. III, ot., 1 eks, 230, 1, 38-40.

37. Abramov, 1900, p. 11-25.

38. Stasov, p. 112, rapporte le succès qu'obtenaient auprès des enfants Pouchkine, Nikitin, Gogol'.

39. Coquart, 1946, p. 43.

est volontaire pour être un « militant social », il ne l'est pas pour être instituteur.

C'est pourquoi les rapports qui se nouent entre le maître et l'élève sont considérés comme plus importants que le contenu de l'enseignement. La classe est le banc d'essai des idées de solidarité et d'égalité, le modèle à venir des relations entre l'*intelligent* et le peuple.

> « On avait pris pour règle de vouvoyer tous les élèves, sans distinction de richesse ni de rang, ce qui, dans les premiers temps, n'était pas sans étonner beaucoup plusieurs, habitués à entendre leurs noms chrétiens déformés par des surnoms. » [40]

Les châtiments physiques sont abolis, ainsi que les bons points, les tableaux d'honneur et tout genre de récompense [41]. Sur ce chapitre, on ne transige pas. A l'inauguration de l'école de Vladimirskij, à Pétersbourg, l'un des fondateurs avait ainsi commencé son discours :

> « Je m'adresse à vous, les enfants (*rebjata*)... Vous allez apprendre à croire en Dieu, selon l'orthodoxie, à vivre en chrétiens, à lire de bons livres, à écrire une lettre correctement, etc. »

Or la presse, qui s'intéresse « maladivement » aux écoles, réprouve ce ton paternaliste, et ce *rebjata* (mot d'officier parlant à la troupe), plus que déplacé dans une école du dimanche, où la grande règle doit être l'égard et le respect de la personne humaine [42].

Stasova, sans ménager les points d'exclamation, écrivait rétrospectivement : « Quel temps béni ! quel élan de l'âme ! les maîtres et les élèves aspiraient de tout cœur à la science, à la lumière ! » [43] En fait, la mode passe. Beaucoup d'enseignants de métier renâclent devant ce supplément de travail non rétribué. Les marchands n'ont pas envie que leurs jeunes commis en sachent plus qu'eux. Beaucoup d'élèves sont serfs, ce qui paraît dangereux, alors qu'on attend la fin du monde. Pour les étudiants, tout dépend de l'évolution des écoles : resteront-elles des écoles primaires annexes, ou peuvent-elles déboucher sur autre chose ? En 1861, le mouvement hésite, marque un temps d'arrêt. C'est alors que les autorités gouvernementales prirent position.

Les règles édictées en mai 1860 n'étaient pas respectées. Dans certaines écoles, les maîtres improvisés s'avisaient d'enseigner l'histoire et même le français et l'allemand aux illettrés d'hier. Dans une école de Kiev, le maître fait son cours d'histoire sans suivre aucun manuel, au gré de son inspiration, sans contrôle possible. Les rapports policiers se font inquiets. Une perquisition effectuée dans les écoles de Pétersbourg

40. D'un journal ecclésiastique, cit. Koz'min, 1961, p. 161.
41. Stasov, p. 111.
42. *Narodnoe čtenie* 4, 1860, p. 183.
43. Stasov, *ibid.*

ne trouve aucun livre qui ne soit autorisé par la censure, quoiqu'une brochure sur les artels puisse être « nuisible en des mains mal intentionnées » [44]. A Penza, les maîtres auraient, selon certains bruits, répandu parmi leurs élèves des « idées nuisibles à la tranquillité générale » [45]. Le général-gouverneur de Kiev se plaint longuement au ministre qu'on cherche à influencer les paysans et les Polonais ; qu'il convient de retirer au plus vite les écoles de l'initiative privée [46].

Une perquisition chez un jeune officier découvre un projet d'article dans lequel est réclamé la fondation d'un journal pour servir de guide aux élèves et aux maîtres. « Une des plus importantes questions est le développement des basses classes et la fusion des conditions *(soslovie)*. Honte à ceux qui restent froids devant la Cause. » [47]

Il y eut plus grave. Dans deux cas, au moins, la police put faire la preuve d'une collusion entre les écoles du dimanche et des cercles révolutionnaires. A Pétersbourg, en mai 1862, le ministre reçut des mauvaises nouvelles des écoles Samsonevskij et Vvedenskij : on y répandait « des idées athées et contraires à la forme autocratique du pouvoir ». Il y circulait des proclamations révoltantes [48]. Ce fut de cet épisode de Pétersbourg que le gouvernement tira prétexte à l'interdiction des écoles. Mais on ne possède des renseignements détaillés que sur le cas des écoles de Kiev et de Har'kov. Ils méritent d'être rapportés.

Autour des écoles du dimanche de ces deux villes se trouvaient des personnalités animées d'idées différentes, mais qu'elles se gardaient de définir trop clairement et d'opposer. Il y avait d'abord, tout en haut, l'humanisme bienveillant, apolitique et chrétien du curateur de la circonscription de Kiev, Pirogov. Il se contentait d'approuver, et autant qu'il le pouvait, de couvrir les initiatives que prenaient ses subordonnés. Il y avait aussi le libéralisme militant du professeur Pavlov. Pavlov est une figure controversée de l'historiographie soviétique [49]. On a voulu en faire un révolutionnaire, et on lui a prêté des liens avec Herzen, voire une immixion dans la société secrète des étudiants de Har'kov et de Kiev. D'autres, avec plus de vraisemblance, voient en lui un libéral particulièrement énergique. Muté, en décembre 1859, de Kiev à Pétersbourg, les élèves le convièrent à une soirée d'adieu. Il porta un toast à « Celui qui se tient à la tête du mouvement avancé *(peredovoj)* de la Russie ».

44. A côté des livres d'un contenu moral et religieux, il y a quelques livres de géométrie, de botanique et de zoologie qui ne correspondent pas au niveau des élèves. Enfin, « la brochure sur les artels ». F. 1282, op. I, n° 274, l. 73-75.
45. CGIAM, F. III ot., I eks, n° 230, l. 58.
46. Lettre au curateur de la circonscription universitaire, du 13 déc. 1860. CGIAM, F. III ot., I eks, n° 230, l. 38-39.
47. CGIAM, 1282, op. I, n° 74, l. 142-144.
48. CGIAM, F. III ot., n° 263, op. 37, l. 14.
49. Sur Pavlov « révolutionnaire », *cf.* Baraboj, 1955, contesté avec des arguments solides par Jastrebov, 1960. Sur le fameux toast, CGIAM, F. III ot., I eks, n° 26, l. 110.

Désignait-il par là le Tsar Libérateur ou Herzen ? Nous pensons qu'il s'agissait du tsar, comme le soutenait d'ailleurs l'informateur de la police.

Dans un autre discours, qu'il prononça le 2 mars 1862 à Pétersbourg, il déclara en effet :

> « Le gouvernement a donné un choc salutaire à toute la société, la suppression par le gouvernement du servage a secoué toute la terre russe jusque dans son fondement. Si nous ne nous trompons pas, les classes instruites, les classes aisées de la Russie ont compris qu'en raison du tournant historique auquel il faut s'attendre, la raison leur ordonnait de se rapprocher des classes ignorantes et pauvres des villes et des villages, tant dans l'intérêt indubitable de ces classes que — et surtout — dans leur intérêt à elles. » [50]

L'union des « hautes » et des « basses » classes de la société russe est l'idée du professeur Pavlov [51]. C'est en cela qu'il s'oppose aux révolutionnaires, même du type herzenien, qui à cette date ont fait leur deuil de la collaboration des classes. Mais que signifie cette « union » grâce à laquelle on fera l'économie de la révolution ? Concrètement, un patient travail d'instruction et d'éducation du peuple russe. « La révolution par l'école » était le thème favori du jeune professeur. Et l'instrument de cette révolution devait être l'Université.

> « Jusqu'au dernier règne, l'Université n'a été que le gardien de la science. Depuis le dernier règne, elle s'engage dans une autre carrière. Dans les derniers temps, les universités sont devenues protestataires. Jusqu'ici, leur activité s'est exercée en ordre dispersé. Elles devront bientôt relier leur vie à tout ce qui est vivant autour d'elles... Les étudiants devront se faire les propagateurs de la science et des idées saines dans la société. Leur devoir est de rapprocher les classes les plus hautes des classes les plus basses... L'Université doit devenir un besoin authentique pour la société, comme la nourriture pour l'organisme. Outre l'action particulière de chaque université, toutes doivent unir leurs forces. »

Les anciens étudiants doivent se considérer comme faisant encore partie de l'Université.

> « Dans les ténèbres profondes, au milieu du découragement de l'action, elles sont l'unique espoir de salut, les universités luisent seules, comme des phares ! » [52]

Devant l'Etat et devant le Peuple, les universités, selon le rêve de Pavlov, sont donc l'organisme permanent de la civilisation en Russie.

50. Jastrebov, 1960, p. 265.
51. Lemke, 1908, p. 9.
52. Jastrebov, 1960, p. 261.

Elles sont l'instrument irremplaçable de la partie européanisée de la Russie et comme, à elles seules, le Parti du Progrès. Elles sont aussi le pont jeté vers les classes inférieures. Elles représentent enfin la conscience de la Russie.

Mais la situation véritable de l'Université en Russie empêchait les étudiants de trouver en elles le cadre institutionalisé de leur activité militante. Les étudiants de Kiev et de Har'kov demandent respectueusement à Pavlov et Pirogov les autorisations nécessaires, mais ils se servent d'eux comme paravent. Ils ne considèrent pas l'Université comme le Parti du Progrès, mais comme le local commode où s'abriter et à partir duquel agir. Pas plus qu'ils ne croient à l'union des classes, ils ne croient à l'unité de leur propre groupe. L'intelligentsia, c'est d'abord le refus de toute solidarité *a priori* entre ceux qui ont reçu la même éducation supérieure. C'est pourquoi, en dessous de Pirogov et de Pavlov, il faut envisager un troisième niveau : le noyautage des écoles du dimanche par une naissante conspiration d'étudiants.

Nous ne connaissons cette activité que par les dossiers des commissions d'enquête. Que s'est-il passé ? La petite « société secrète » de Har'kov, fondée dès 1855, a réussi à se créer une filiale à Kiev en 1858. C'est dans ce *kružok* que naît l'idée d'utiliser les écoles du dimanche, « pour répandre les idées libérales dans les masses du simple peuple ». A Har'kov, la fondation des écoles se fit avec la participation de Ševčenko, qui composa un abécédaire resté inédit. Des tentatives furent également faites en direction de Nežinsk (où se trouvait le lycée), de Novočerkask, par l'intermédiaire d'un ancien étudiant de Har'kov devenu professeur dans le gymnase de la ville. Une liaison est d'autre part assurée avec Pétersbourg, par l'intermédiaire de Rymanenko, ancien étudiant de Har'kov, et qui fut l'organisateur de l'école Samsonievskij [53]. Il faisait alors des études à l'Académie médico-chirurgicale. La mutation à Pétersbourg du professeur Pavlov coïncide avec l'essor des écoles dans la ville. Elles devinrent à la mode, et une foule de jeunes gens se précipita dans un enseignement dont ils se dégoûtèrent vite, alors que nos conspirateurs poursuivaient leur plan d'action. Mais ils n'eurent pas le temps de le développer. La commission d'enquête ne réussit pas, de son propre aveu, à établir les preuves formelles de leur « activité criminelle », mais seulement un faisceau de présomptions d'une tentative organisée de propagande [54]. Les règles dictées pour la direction des écoles étaient trop imprécises pour que les infractions soient faciles à vérifier. Au surplus la police ne les surveillait que superficiellement. Le rapport conclut à la nécessité de fermer les écoles, au moins jusqu'à

53. Le rapport policier le plus détaillé est celui rédigé par le président de la commission d'enquête « pour éclairer les événements de l'école Samsonevskij et Vvedenskij », le sénateur Zdanov. CGIAM, F. III ot., n° 263, op. 37, 1. 48-77.
54. Sur les buts de la société secrète de Har'kov et Kiev à propos des écoles du dimanche : JASTREBOV, 1960, p. 216, 246, 249, 256-258.

ce que de nouvelles règles permettent d'assurer leur innocuité. « Sans cette mesure le poison de leur enseignement se répandrait dans toute la population des travailleurs des fabriques. » Pour la société secrète de Har'kov, l'école du dimanche n'a été qu'un aspect de son activité. Tout est resté à l'état d'espoir et de velléité. Mais d'emblée, le groupuscule conspirateur avait compris l'intérêt de cette « courroie de transmission », si l'on ose risquer cette comparaison anachronique.

Un autre groupuscule, celui d'Argyropulo, à Moscou, s'était aussi intéressé aux écoles. Il ne put rien réaliser, parce que, partant trop tard, le mouvement fut à Moscou étouffé presque dans l'œuf. Les premières mesures de freinage datent, nous l'avons vu, de mai 1860. En décembre, le chef des gendarmes, Dolgorukov, écrivait au tsar que

> « le gouvernement ne pouvait tolérer que la moitié de la population soit redevable de son instruction non à l'Etat mais à elle-même ou à la charité privée d'une classe quelconque » [55].
>
> « La classe moyenne s'est mise volontairement à la tête de cette importante affaire. Tout ce qui peut paraître un obstacle à la diffusion de ces écoles suscite le mécontentement et les interprétations dangereuses. Il faudrait que le gouvernement prévienne le mouvement en fondant lui-même des écoles. Mais a-t-il assez d'argent et de maîtres ? » [56]

Ainsi, peu d'années avant l'établissement des premières écoles de *zemstvo,* le gouvernement maintenait un de ses principes les plus anciens et les plus ancrés, celui du monopole étatique de l'enseignement. En dehors même de toute perversion conspiratrice, l'école du dimanche menace d'arracher à l'Etat la grande machine à fabriquer des gens de service, qui depuis Nicolas Ier marche à l'envers. Comme le dit le chef des gendarmes, il ne faut pas « que les efforts de la jeunesse dans ces écoles affermissent envers elle, sur une base solide, la confiance et la reconnaissance des masses » [57]. L'Etat doit demeurer le seul partenaire. Le chef des gendarmes proposait donc les mesures suivantes :

1. Sans empêcher la diffusion des écoles du dimanche, ce qui serait dangereux, ne pas les laisser entre les mains de ceux qui en ont arbitrairement pris la tutelle ;
2. Les transformer avec prudence en écoles d'Etat ;
3. Régulariser les règles de fonctionnement ;
4. Ne pas admettre comme maîtres dans les écoles féminines les étudiants et les officiers ;
5. Refuser l'élargissement des programmes ;
6. Confectionner les livres spéciaux à l'usage de ces écoles.

55. Cit. KOZ'MIN, 1961, p. 162.
56. CGIAM, F. III ot., I eks, n° 230, l. 45-46.
57. KOZ'MIN, 1961, *ibid.*

Tel fut à peu près le programme suivi par le ministère. Une circulaire de l'Instruction publique précisa que les écoles du dimanche devaient fonctionner à la manière des écoles de paroisses et dispenser le même enseignement. Elle demandait aux curateurs de renforcer leur contrôle sur les programmes et sur le bon esprit des maîtres. C'est en s'appuyant sur cette circulaire que le curateur de Moscou publia en février 1861 des « nouvelles règles » qui renchérissaient sur Dolgorukov. En plus des susdites limitations, chaque école devait être séparée des autres et subordonnée à l'un des directeurs des gymnases de Moscou. Tout ce qui était contraire à la religion, aux mœurs et au régime établis devait être sévèrement banni [58].

Nous connaissons la réaction d'Argyropulo à ces mesures. Il écrivait :

> « On craint que les écoles du dimanche ne deviennent aisément le canal dans le peuple des idées saines sur la personnalité humaine et sur la vie sociale — de telles idées qui font la force et le bien de tous, et que l'on n'acquiert pas dans les écoles de paroisse ni même dans les écoles de districts. Et voici que les gens obtus et dénués de dons empêchent de se lever l'aube de la nouvelle vie du peuple, étouffent l'œuvre à peine née sous la forme pourrie, veulent faire du peuple quelque chose comme un sacristain religieux, un retardataire moral. C'est pourquoi ils insistent en premier lieu sur le catéchisme et sur le développement dans le peuple du sentiment religieux. » [59]

Que faire, donc, dans la situation impossible où se trouvent les jeunes maîtres après la publication des règlements de 1861 ? Il ne faut pas abandonner, lit-on dans le même manuscrit, il ne faut pas jeter le manche après la cognée. Il faut tâcher d'échapper au contrôle de l'Etat en fondant, avec de l'argent privé, une société privée d'enseignement que l'Etat n'osera pas saborder. L'auteur propose en même temps de fonder une société de diffusion de livres populaires. Elle agirait sur deux plans. Légale, elle répandrait des livres autorisés. Illégale, des livres rédigés dans une langue simple, et contenant des « vérités politiques ». Ainsi trouve-t-on, dans ce document, sous une forme encore naïve et utopique, les idées qui animeront plus tard la « Société du rouble » (elle aussi moscovite), et encore les *Čajkovcy*.

Mais tout restait sur le papier. Les membres moscovites des écoles renoncèrent. Ils demandèrent au curateur de nommer d'autres maîtres, et celui-ci les prit, autant qu'il put, dans les écoles paroissiales. Le cercle d'Argyropulo rédigea une requête respectueuse au ministre, le priant de revenir sur les règles. En vain, bien sûr, et d'ailleurs il n'est pas

58. Abramov, 1900, p. 60-77.
59. Lemke, *Političeskie processy v Rossii 160h gg.* Cit. Koz'min, 1961, p. 163.

certain qu'elle ait été jamais remise. Un papier saisi nous livre cet aveu :

> « Malgré les efforts de certains maîtres, les écoles tombèrent vite en décadence, le nombre des participants se réduisit de telle sorte qu'il devenait impossible à un seul instituteur de s'occuper d'élèves nombreux, de tous les niveaux, de toutes les capacités. » [60]

C'est dans ce climat de découragement de la part de la « société » et de suspicion de la part du gouvernement, qu'éclata l'affaire des écoles noyautées de Kiev et de Pétersbourg. L'expérience tirait évidemment à sa fin.

Elle fut interrompue officiellement en juin 1862. Les incendies du printemps, les premières arrestations, l'avaient annoncé. La circulaire du 12 juin (qui venait du ministère de l'Intérieur) était ainsi rédigée :

> « La surveillance établie sur les écoles du dimanche et sur les salles de lectures populaires s'est avérée insuffisante. Ces derniers temps on a découvert que sous le louable prétexte d'apprendre au peuple à lire et à écrire, des gens mal intentionnés ont osé, dans plusieurs écoles du dimanche, développer des doctrines nuisibles, des idées subversives, des conceptions erronées sur le droit de propriété et sur l'incroyance. Notre souverain l'Empereur, après avoir jugé au conseil des ministres des données concernant ce sujet, a, très hautement, bien voulu ordonner : 1) procéder rapidement à la révision des règles sur la fondation des écoles du dimanche ; 2) jusqu'à la réorganisation desdites écoles sur les nouvelles bases, fermer toutes les écoles et salles de lectures existantes. » [61]

C'était l'enterrement définitif.

Nous devons maintenant évaluer l'importance de cet épisode. Son caractère inachevé et sa confusion frappent en premier. L'inachèvement apparaît d'abord le fait du gouvernement. En fermant brutalement les écoles, le gouvernement a empêché les jeunes intellectuels de faire l'expérience authentique et prolongée des milieux extérieurs à eux. Ils n'ont pas eu le temps de confronter le concept de Peuple, qui s'était formé dans leur esprit sans référence au peuple véritable — avec les apprentis, les commis de boutiques, les palefreniers qui venaient plus ou moins assidûment dans leurs salles de classe. Le concept de Peuple survécut donc intact, aussi abstrait et idéal. Le mot continua de désigner une catégorie éthique en même temps qu'une catégorie sociale et économique. On peut imaginer qu'à la lassitude précoce des jeunes maîtres des écoles s'ajoutait l'appréhension de remettre en question ce

60. Koz'min, 1961, p. 166. C'est un papier saisi sur le membre du cercle Argyropulo, Lebinskij.
61. CGIAM, F. III ot., I eks, n° 57, 1. 161.

concept clé de leur vision du monde. Plutôt qu'abandonner une certaine image du Peuple, il était préférable de s'éloigner du peuple véritable.

D'un point de vue plus théorique, le mouvement des écoles du dimanche recelait une certaine contradiction. Il reflétait, dans ses débuts, le point de vue traditionnel des Lumières. Avant toute chose, répandre les bienfaits de l'instruction, de la civilisation, du progrès moral. C'est pourquoi le mouvement recueillit initialement les encouragements les plus larges y compris de la part du gouvernement qui n'a pas renoncé au despotisme éclairé. Mais les libéraux ne pouvaient admettre qu'on transforme les écoles en centres de propagande. C'eût été pervertir le peuple et non l'instruire. Mais d'autre part, l'action des jeunes révolutionnaires n'allait pas sans équivoque. Il était contradictoire de prêcher la révolution à ceux dont on attendait la révolution, et ce dans l'enceinte d'une salle de classe officielle où se nouent nécessairement des rapports de maîtres à élèves et de supérieurs à subordonnés. Une telle action n'était concevable qu'une fois accompli un travail assez long d'éclaircissement idéologique sur les rapports peuple-intelligentsia, et une fois constitué un solide parti politique. En 1860, on en était loin.

Les écoles du dimanche ouvrirent leurs portes à nouveau à la fin du XIXe siècle. Mais les révolutionnaires savaient alors convenablement les utiliser. Krupskaja témoigne que son école était l'annexe du cercle politique dont s'occupait alors Lénine. Son rôle est d'assurer l'homogénéité culturelle du parti.

> « Elle était un excellent moyen pour apprendre à connaître les masses ouvrières et leurs conditions de vie... Je dois dire que les ouvriers avaient une confiance absolue dans leur institutrice. »[62]

Une telle netteté de vue et une telle conscience des moyens et des limites étaient certes étrangères aux naïfs et généreux croisés des premières écoles du dimanche.

Listes des écoles du dimanche, a la veille de l'édit de fermeture

Circonscription de Saint-Pétersbourg

Gouvernement de Saint-Pétersbourg	34
Novgorod	9
Pskov	8
Vitebsk	4
Mogilev	1
Arhangel'sk	4
Vologda	1
Olonec	3
	64

62. Kroupskaïa, 1933, p. 16.

Circonscription de Moscou

Gouvernement de Moscou	9
Vladimir	3
Kostroma	3
Rjazan'	3
Tver'	4
Tula	3
Jaroslavl'	4
Kaluga	1
	30

Circonscription de Har'kov

Gouvernement de Har'kov	7
Kursk	3
Orel	5
Voronež	3
Tambov	9
	27

Circonscription de Kazan'

Gouvernement de Kazan'	7
Nižnij-Novgorod	8
Penza	3
Astrahan'	3
Saratov	6
Simbirsk	3
Samara	1
Orenburg	3
Perm'	10
Vjatka	3
	47

Circonscription de Kiev

Gouvernement de Kiev	17
Volynie	2
Podolie	2
Černigov	8
Poltava	17
	46

Circonscription de Vilna *1*

Circonscription d'Odessa

Herson	13
Ekaterinoslav	4
Tauride	9
Bessarabie	6
	32

Circonscription de Dorpat

Kurland	4
Liiland	6
Estland	2
	12

Sibérie orientale	*12*
Sibérie occidentale	*3*
Total général	274

Dont : 243 écoles pour hommes
31 écoles pour femmes

(*ŽMNP,* 1862, juin.)

3. L' « AFFAIRE DES ÉTUDIANTS », 1861

Les témoignages sur le mouvement étudiant de l'année 1861 n'emploient pas le mot soulèvement ou le mot révolte, mais plus vaguement ils parlent de l'histoire étudiante *(studenčeskaja istorija),* de « l'affaire des étudiants », comme si elle présentait une allure trop confuse pour prendre place dans un mouvement politique défini d'habitude soit libéral, soit comme révolutionnaire. « L'affaire des étudiants » traduit peut-être simplement le malaise de la « société ». C'est ainsi que l'interpréta Pirogov, qui voyait dans l'Université la membrane sensible sur laquelle s'imprimait l'état passager de la société [63]. Mais en même temps, le caractère inclassable et insolite de l'épisode vient de ce que les étudiants forment déjà un milieu à part dont personne ne comprend déjà plus les réactions : ni la « société » partagée entre la peur et l'excitation, ni les professeurs, qui hésitent entre la solidarité condescendante et l'indignation attristée ; ni enfin l'Etat qui balance entre l'indulgence et la justice expéditive, ne sachant trop s'il a affaire à des jeunes gens turbulents ou des criminels conspirateurs.

Du point de vue des étudiants eux-mêmes, « l'affaire » est la dernière entreprise vécue en commun. A partir de l'automne, du printemps 1862, il n'y a plus, et pour longtemps, de mouvement étudiant au sens propre, c'est-à-dire présentant un aspect corporatf prédominant. Il existe encore un milieu étudiant, sans unité politique, assez calme et sage au jugement des autorités. Il constitue seulement le réservoir où se recrutent les petites équipes révolutionnaires, qui portent à un degré supérieur l'isolement social et culturel et la psychologie particulière qui étaient, à la veille de « l'affaire », l'attribut du milieu étudiant dans son ensemble.

On aimerait parler de cette affaire dans les termes les plus généraux. Entrer dans les détails est assez décourageant, tant ils apparaissent futiles, minuscules, insignifiants. Ce ne sont jamais que des hitoires d'étudiants, sans grand poids, sans grand sérieux. Il le faut pourtant, parce

63. Sur Pirogov et l'Université « baromètre de la société », MILJUKOV, 1899, p. 340.

que le récit de ces actions infimes et de leur retentissement démesuré peut seul donner un sentiment du climat réel de la naissante intelligentsia, avec ce qu'il comporte précisément d'irréalité.

Les événements [64]

L'agitation gagna quatre des universités de l'empire, et les quatre principales : Pétersbourg, Moscou, Kiev et Kazan'. Dans chacune elle eut un visage légèrement différent : massive et raisonnable à Pétersbourg, elle fut confuse et maladroite à Moscou ; brève et brutale à Kazan', paralysée enfin à Kiev par la présence des étudiants polonais.

Les menaces du printemps 1861. Le printemps s'annonça par des chahuts plus violents que ceux qu'on avait vus les années précédentes. Le 8 février, le populaire professeur Kostomarov s'apprêtait à prononcer une conférence sur Konstantin Aksakov, lorsque le gouvernement la fit interdire au dernier moment. Or les étudiants, peut-être parce que le *Kolokol* venait de faire un éloge d'Aksakov, protestèrent hautement, tapèrent du pied, etc. [65]. Le recteur Pletnev essaya de se faire entendre dans le bruit, menaça d'exclure les étudiants fautifs, promit de reporter la conférence et les choses en restèrent là.

Le mois suivant, les affaires de Pologne furent l'occasion d'un autre scandale. Un service funèbre fut célébré à la mémoire des victimes des échauffourées de Varsovie, en présence de professeurs (Kostomarov), d'étudiants polonais et de nombreux étudiants russes. Tous, avant de se séparer, entonnèrent l'hymne polonais. Le gouvernement décida de poursuivre, mais le bruit se répandit qu'il n'avait l'intention de sévir que contre les Polonais. Alors trois cents étudiants russes signèrent une motion d'entière solidarité avec leurs camarades. Le curateur Deljanov, bonhomme et libéral, accourant à l'université, heurta un étudiant porteur de liste de signatures, et qui refusa de les montrer. Devenu furieux, Deljanov mit en balance sa démission et l'exclusion immédiate de l'étudiant. Aussitôt les étudiants tinrent une *shodka* et exigèrent que personne ne fût exclu sans jugement [66]. Les professeurs s'interposèrent, Deljanov resta à son poste et l'étudiant ne fut pas exclu [67]. A Moscou comme

64. Notre guide dans ce réseau d'événements assez confus restent Aševskij, Tkačenko (avec précautions) et Gessen. Mais nous nous appuyons autant que nous pouvons sur les souvenirs d'étudiants comme Panteleev, Salias et les professeurs comme Eševskij, Čičerin, Nikitenko. Les mises au point modernes les plus autorisées sont celles de Venturi, 1952, particulièrement p. 365-386 et Levin, 1958.
65. Nikitenko, 1955, t. II, p. 175.
66. Parmi les étudiants présents, Boris Utin, et parmi les professeurs, Kostomarov.
67. *Kolokol* 102 et Panteleev, 1958, p. 174. L'étudiant auquel se heurta Deljanov était Stakenšnejder, fils d'un grand architecte de Saint-Pétersbourg, et le salon de ses parents était l'un des plus élégants de la ville. L'insolence de l'étudiant est celle d'un enfant de la « société ». Il deviendra plus tard journaliste conservateur.

à Pétersbourg était célébré un service funèbre à l'issue duquel un étudiant (Zajčnevskij) prononça un discours « très immodéré »[68].

A Kazan', l'incident fut déclenché par l'autre point sensible de l'actualité politique : la gravissime question paysanne. La sérieuse émeute agraire dirigée par Petrov avait été réprimée dans ce que la chronique nomma le « Massacre de Bezdna ». Un service funèbre fut organisé par les étudiants de l'Académie ecclésiastique pour le repos de l'âme des paysans tombés sous les balles des soldats. C'est un professeur de l'Académie, Ščapov, qui prononça le discours subversif dans une réunion qui ne l'était pas. Il parla de Petrov comme du « nouveau prophète qui lui aussi (comme au temps du Raskol) a proclamé la liberté au nom de Dieu ». Il parla aussi de l'enseignement démocratique, du Christ, de constitution. Un *général-ad''jutant* arriva à Kazan', expédia Ščapov sous bonne garde vers Pétersbourg et fit exclure les neuf étudiants qui avaient pris l'initiative de la cérémonie[69].

Enfin, Kiev subit aussi le contrecoup des émeutes de Varsovie[70]. Les femmes de la société kiévienne portaient le deuil, arboraient des insignes polonais, mais sans unanimité. La fraternisation polono-russe s'était encore manifestée à l'occasion des funérailles de Ševčenko (28 février 1861) mais à Pétersbourg seulement, car à Kiev, dans l'Ukraine revendiquée par le nationalisme polonais, elle aurait eu une autre portée. Les étudiants russes de l'université Saint-Vladimir soupçonnent leurs camarades polonais d'attiser systématiquement le mécontentement et d'attirer la répression. Ils ont peur d'être entraînés. Un *kružok* russe proposa la formation de cinq « corporations », trois d'étudiants russes et deux d'étudiants polonais, chacune disposant d'une voix, les décisions communes étant prises à la majorité. Pour faire preuve de sa bonne volonté, il soutint la revendication polonaise d'ouverture d'une université à Varsovie. Mais la proposition fit long feu. Le curateur Pirogov penchait à soutenir ces deux positions, mais son temps était passé. Conformément aux instructions de Pétersbourg, il dut interdire les *shodki*. Comme son prestige était grand, il fut obéi. D'ailleurs, l'interdiction des *shodki* n'était peut-être pas si malvenue des étudiants russes qui préféraient laisser dormir certaines questions gênantes. La fraternisation avec les Polonais, thème ailleurs du libéralisme mondain, ne résiste pas ici au rapport de forces trop égales des deux nationalités.

En avril 1861, Pirogov est remplacé. Il s'en va en triomphe ; gratifié par ses étudiants d'un beau discours où il est dit que l'humanisation de la discipline fait grandir le respect de l'ordre.

Toutes ces affaires suscitèrent l'inquiétude des professeurs et le ressentiment des autorités. Les plus libéraux des maîtres de Pétersbourg,

68. *Istoričeskaja zapiska,* p. 1046.
69. Cit. VENTURI, 1952, t. II, p. 333.
70. Aševskij, 9, 1907, p. 64-71.

Kavelin, Spasovič, Utin, comprennent qu'il faut régler les *shodki* sous peine d'interdiction imminente. Ils essaient, avec la participation de quelques étudiants, d'établir des règles acceptables : elles seraient autorisées sous la présidence d'un professeur, et seulement pour délibérer sur le *Sbornik*, la caisse et la bibliothèque. Il est trop tard. Le tsar, en avril, exprime son mécontentement. Le ministre Kovalevskij est admonesté : le gouverneur est décidé à fermer plusieurs universités si les désordres continuent. Stroganov, ancien curateur de Moscou et conservateur fameux, Panin, ministre de la Justice, et Dolgorukov, chef des gendarmes, sont chargés de suivre les activités du ministre de l'Instruction publique. Ce dernier démissionne en mai. Avant de partir, il s'est résigné à signer le nouveau règlement universitaire, ces « règles de mai » qui vont être l'occasion des désordres [71].

Deux articles des « règles de mai » sont graves. L'article 3 interdit les *shodki* et la pratique des délégations d'étudiants. L'article 9 prévoit que seulement deux étudiants par gouvernement pourront être dispensés de payer les droits universitaires. Or, à Pétersbourg, il n'y a que 360 étudiants, sur plus de 500, qui à cette date versent les cinquante roubles de droits. A Moscou, il y a peut-être 150 ou 200 dispensés [72]. Il n'y en aurait plus que 18, aux termes des « règles », et 12 à Pétersbourg. Ces cinquante roubles sont une grosse somme. « Je ne sais, dit un étudiant, si je me serais décidé à entrer à l'Université s'il avait existé un droit obligatoire pour assister aux cours. » [73] La mesure est donc faite pour décourager une importante fraction de la population étudiante et lycéenne. C'est un retour à l'esprit du règne précédent.

Putjatin remplaça Kovalevskij. C'était un vieil amiral en retraite, plein de zèle et d'ignorance, et qui passe pour borné. A l'excellent Deljanov, succéda au poste de curateur un ancien ataman de Cosaques, Filipson : brave homme, aimant la jeunesse, débonnaire à la façon d'un ataman de Cosaques plutôt qu'à la façon d'un curateur [74]. Le parti réactionnaire de la cour leur dicte la politique, mais par leur innocente maladresse, ils en gênent l'application.

Une commission de professeurs avait élaboré un projet de statut pour l'Université [75]. Il faisait une place à un tribunal universitaire dans lequel un étudiant ne pouvait être jugé hors de la présence de deux camarades. Il autorisait les *shodki* sous certaines conditions. Enfin, chaque étudiant serait muni d'un livret qui contiendrait le règlement et qui servirait de pièce d'identité. Ce livret matricule existait déjà à Dorpat. Putjatin rejeta la présence étudiante au tribunal, interdit abso-

71. *Ibid.*, p. 68 et ss.
72. Esevskij, 1898, p. 577 et ss.
73. Panteleev, 1958, p. 141.
74. Nikitenko, 1955, t. ii, p. 206.
75. Elle comprenait Cevišov, Andreevskij, Pypin, Stasjulevič. Aševskij, 9, 1907, p. 70.

lument les *shodki* et remit par conséquent les caisses et le *sbornik* à l'administration des autorités universitaires. Il introduisit les billets payants pour les auditeurs libres et imposa l'exclusion des étudiants qui ne satisfaisaient pas aux examens de passage annuel. Il n'accepta que le livret matricule qui, dans un tel contexte de brimades, apparaissait comme un instrument de police.

Le conseil universitaire de Pétersbourg essaya de protester, par la voix de Kavelin. Il refusa, dans ces conditions, de choisir dans son sein les prorecteurs. Mais les autres conseils ne le suivirent pas. Moscou, particulièrement, n'était pas fâché du coup de frein. Puis ce fut la période des examens et des vacances [76].

Toute cette agitation du printemps, ces règles, ces commissions, ces projets de statuts étaient restés parfaitement secrets. Les étudiants en principe ne savent rien. Tout s'est décidé dans des réunion ministérielles ou universitaires sans publicité. Il n'existe pas en Russie de mécanisme régulier d'information. Au contraire, il y a une tradition de préparation souterraine des décisions du pouvoir et de promulgation soudaine, en coup de tonnerre. Aucun professeur n'a pris la responsabilité d'expliquer aux étudiants ce qu'on leur préparait : de telles choses ne se font pas. Mais en dépit du traditionnel secret, les bruits se répandent facilement dans l'étroite sphère sociale où se trouvent à la fois les gouvernants, les professeurs et les étudiants. Ces derniers s'attendent à être brimés. C'est dans un esprit d'inquiétude qu'ils partent en vacances.

Les désordres de l'automne à Saint-Pétersbourg [77]. Etrange atmosphère de rentrée, chargée d'appréhension. Le 16 septembre Nikitenko note, après son premier cours : « Il y avait beaucoup d'auditeurs qui m'ont semblé attentifs et bien disposés. Je m'en suis senti encouragé » [78]. C'est par le journal que les étudiants apprennent le nouveau régime. Dès le 18 septembre quelques *shodki* se réunissent, sans que personne n'ose signifier leur interdiction. Elles envoient donc, comme à l'ordinaire, des délégués au curateur pour lui demander des éclaircissements. Or, celui-ci se dérobe : « Je ne suis pas un orateur. » Toujours cette timidité peureuse. Le 22, pour empêcher les réunions, les autorités font fermer à clef toutes les salles vacantes de l'université. Or, le lendemain on trouva affichée une proclamation « incendiaire ». Quel fut son auteur ? On ne le sait pas, mais on connaît sa source : un comité clandestin qui s'était constitué quelques jours auparavant. Il comprenait Mihaelis, un ami de Šelgunov et un bon représentant de la jeunesse nihiliste ; N. I. Utin, qui sera un des dirigeants de la première *Zemlja i volja ;* Prokrovskij, qui connaît les journalistes de *Sovremennik* et qui est aussi un ami de

76. KAVELIN, 1898, t. II, p. 1191-1202.
77. Sur les désordres de Pétersbourg, hormis les sources déjà citées, *cf.* KAVELIN, t. II, p. 1191-1206.
78. NIKITENKO, 1955, t. II, p. 210.

Strahov ; Nehljudov, Gen (un soliveau) et Panteleev. Le comité ne « dirige » pas les étudiants, mais il reflète leur opinion la plus extrême et sa proclamation mérite l'analyse [79].

Le ton d'abord frappe : chevaleresque, juvénile, littéraire [80]. « Le gouvernement nous a jeté le gant. Maintenant nous allons voir combien il y aura de chevaliers parmi nous pour le ramasser. » La proclamation n'insiste pas sur les « règles de mai », rappelées en trois lignes. Elle se place sur le plan abstrait. Il ne faut pas se laisser faire ; il faut montrer que nous sommes des hommes. On ne s'occupe pas de cinquante roubles quand il s'agit d'honneur.

> « Maintenant on nous interdit tout, absolument tout. On nous autorise à rester modestement sur nos bancs, à écouter des cours censurés par la peur, à se conduire sagement comme on fait en classe, et on nous demande de ne pas raisonner, entendez-vous ? de ne pas raisonner. »

On sent aussi le désir de relier les minces intérêts en jeu aux grands drames de l'histoire russe :

> « Le peuple russe s'est longtemps distingué par une longue patience ; les Tatars nous tuaient et nous nous taisions. Les tsars nous tuaient et nous nous taisions et nous nous inclinions. Aujourd'hui les Allemands nous rossent et nous nous taisons et nous les respectons. »

Il faut probablement entendre par « Allemand » la bureaucratie tsariste : c'est la note slavophile de cette proclamation. Puis vient une fantastique majoration des forces étudiantes, comme pour conjurer le rapport réel des forces :

> « Nous sommes légions, parce que se déclarent pour nous la pensée saine, l'opinion publique, les littérateurs ; les professeurs, les cercles innombrables de penseurs libres, l'Europe occidentale, tous ceux qui sont en avance sont pour nous. Nous sommes nombreux, plus nombreux encore que les espions. Il suffit de montrer que nous sommes nombreux. Aujourd'hui, qui est contre nous ? Cinq ou six oligarques, tyrans, misérables, voleurs, esclaves vénaux qui veulent être les maîtres et qui font des mouvements de manche pour nous effrayer comme des petits enfants... Gardez une chose à l'esprit : ils n'oseront pas toucher à nous, car de l'Université, une révolte *(bunt)* gagnerait tout Pétersbourg. »

79. VENTURI, 1952, t. I, p. 377-378, appelle ce comité le comité directeur des étudiants. PANTELEEV, 1958, p. 246, dit pourtant le contraire. Parler de comité directeur en automne 1861 et dans un milieu tel que le milieu étudiant me paraît un anachronisme. Venturi a suivi les historiens soviétiques qui reculent exagérément la date de formation du mouvement révolutionnaire.

80. Le texte de la proclamation est cité en entier dans le *Kolokol*, 216, du 15 décembre 1861.

Ainsi les auteurs du manifeste prennent la sympathie générale de la « société » pour une solidarité de toute la gauche libérale et progressiste européenne. Ils s'imaginent n'avoir affaire qu'à quelques fonctionnaires isolés et déconsidérés. Ils imaginent le monde à l'image de l'Université.

La proclamation exhorte encore à prendre exemple sur les Polonais, plus combatifs et prêts au sacrifice. Elle conclut en fanfare :

> « Energie ! Energie ! Souvenons-nous que nous sommes jeunes et qu'à notre âge on est noble et prêt au sacrifice. Ne craignez rien, nous le répétons encore une fois, quand bien même toute l'Université serait jetée dans les cellules d'un monastère. »

Nous retrouvons en finale le thème chevaleresque de l'épreuve virile et de la « gloire » (le mot est cité en français) à conquérir. Il s'allie curieusement à un brûlant appétit de martyre (évocation de la prison) et à un sentiment d'impunité. En somme, avec son appel à l'honneur, son dédain des contingences, et la conscience latente d'appartenir à un milieu intouchable, ce texte appartient encore à la tradition aristocratique de la révolution. Nous sommes plus près de la légende décembriste que des militants terre à terre des générations futures.

Donc une grosse *shodka* se rassemble dans la salle des Actes pour lire et commenter la proclamation. Les étudiants modérés sont expulsés de la tribune par d'autres, plus radicaux. Le professeur Sreznevskij, qui fait fonction de recteur (le recteur Pletnev est en voyage à l'étranger) essaie de se faire entendre. Il est mis à la porte dans un grand tapage. La foule décide de ne pas accepter les nouvelles règles, de ne pas payer les cinquante roubles, de refuser les livrets matricules et les billets d'entrée. Les autorités de l'université décident en conséquence, mais encore une fois, sans en aviser les étudiants, la suspension des cours [81].

Quand les étudiants se présentent, le lundi 25 septembre, à l'entrée des bâtiments, ils trouvent les portes fermées. Une *shodka* se forme donc spontanément devant ces portes (l'escalier sert de tribune) et les étudiants se forment en un long cortège (ils sont environ neuf cents) et se dirigent vers l'appartement du recteur Filipson, en passant par le Dvorcovyj Most, les Perspectives Nevski et Vladimirski. Scandale inouï ! C'est la première manifestation sur la voie publique depuis l'insurrection décembriste. Les coiffeurs français de la Perspective Nevski sortent ravis de leurs boutiques et s'écrient : « Révolution ! » Des gamins se répandent dans les rues en criant : « *Bunt, bunt !* » [82]. Quant à la police, ébahie d'un tel forfait, elle se contente d'encadrer le cortège. A cheval, derrière, marchent le général-gouverneur Ignat'ev et le chef

81. Boborykin, 1929, p. 187-189, donne un récit insipide et imprécis des désordres de cette journée. Il venait de quitter l'université avec le titre de *kandidat*.
82. Sorokin, 1906.

de la police Patkul'. Dans la rue Kolokol'naja, où habite le recteur, les étudiants se heurtent à une vraie garnison de gendarmes, de sergents de ville, de pompiers, la hache à la main, et même à tout un bataillon de chasseurs sous les armes. Filipson, qui rentrait chez lui, empêcha le heurt, qui aurait peut-être tourné au massacre, et consentit à discuter avec ses étudiants, mais seulement à l'université. On s'en retourna donc dans le même appareil et par le même chemin. Devant la porte, il proposa qu'on élise des délégués pour mener cette discussion. Moyennant la promesse du curateur et de la IIIe Section qu'on ne les arrêterait pas, trois délégués furent élus. Ils demandèrent la suppression du nouveau règlement et la reprise des cours. On leur accorda la réouverture de la bibliothèque et des laboratoires. Mais les cours ne reprendraient que le 2 octobre, après qu'on eut distribué les livrets matricules. Quant au règlement, il serait maintenu. Les délégués répondirent que leurs camarades ne s'y soumettront jamais, mais prennent acte de la promesse du curateur et d'Ignat'ev qu'il ne serait procédé à aucune arrestation à la suite de cette journée. Et chacun rentra chez soi[83].

Mais le lendemain, les étudiants constatèrent que la bibliothèque était fermée et apprirent l'arrestation de plusieurs de leurs camarades : ceux qui avaient un dossier à la IIIe Section, rédacteurs du *Sbornik*, gérants de caisse, homonymes parfois de ceux-ci.

Aussi, le 27 septembre, un nouveau rassemblement se forma autour du tas de bois qui encombrait les abords de l'université. On rédigea une adresse sur un cuveau renversé : tous les étudiants étant solidaires, il convient de les arrêter tous ou de les relâcher. Ira-t-on la porter tous ensemble au ministre ? C'est bien dangereux. Mais pendant qu'on désigne des délégués, la police arrive, à pied, à cheval, renforcée d'un régiment de Finlande. Les étudiants se dispersent à la première sommation, et les délégués sont éconduits. Les jours suivants, la même scène se répéta, comme un scénario bien réglé, non sans monotonie : rassemblement, arrivée de la police, arrestations de quelques étudiants ou de quelques sympathisants dans le public qui vient par curiosité, dispersion. Devant un phénomène si étrange, la police, qui ne sait que frapper fort et n'ose le faire, est déconcertée. Le 2 octobre, pourtant, trente-trois personnes sont arrêtées d'un seul coup, et on vient rafler à domicile les réunions que la police vient à connaître. A cette date, il y a déjà une centaine d'étudiants sous les verrous, dont les membres du « comité clandestin », Gen, Gerike, Mihaelis, Panteleev, Pokrovskij, N. Utin, Nehljudov. Le mouvement perd ainsi les quelques têtes politisées et capables de faire le lien entre les étudiants et les cercles infiniment plus conscients qui ont Černyševkij pour centre moral.

L'entrée de l'université restait cependant barrée par un cordon de troupe. Les professeurs essayèrent de s'insinuer comme arbitre. Mais

83. AŠEVSKIJ, 9, 1907, p. 71-82.

il aurait fallu qu'ils soient en confiance, ou tout au moins en contact avec leurs étudiants. Or le rideau du secret administratif, depuis le printemps, était tombé entre eux et les étudiants. Et c'est derrière ce rideau, hors de la vue de leurs élèves, qu'ils tentent leurs vaines démarches. Ils demandèrent à Putjatin d'adoucir le sort des incarcérés, qui ne sont pas des criminels mais des jeunes gens inexpérimentés. Ils expriment encore une fois, au curateur, le 8 octobre, qu'il est nécessaire d'abolir le règlement de mai, si l'on veut calmer les étudiants. Ils refusent enfin de se charger de la distribution des livrets. Ce fut donc par voie d'annonces de presse que les étudiants furent avisés qu'il convenait de faire au recteur la demande du livret, et que ceux qui s'y refuseraient seraient exclus *ipso facto*. Tous les professeurs, y compris la « conscience des étudiants », Kavelin, donnèrent le conseil de se soumettre. Il y eut en tout six cent cinquante demandes. Les défaillants s'exposaient à être expulsés de la ville dans les quarante-huit heures.

Le 11 octobre, l'université rouvrait ses portes. « La garde est retirée de chez le concierge, note Nikitenko, mais l'odeur de caserne a corrompu à ce point l'air qu'il est difficile de respirer. » [84] Il n'y a qu'une centaine d'étudiants présents. Le lendemain, encore moins. Les professeurs font leurs cours devant des amphithéâtres presque déserts, tout à fait déserts parfois. Et voici, devant les portes, une bataille entre les porteurs de matricule (*matrikulisty*) et les autres. Tout le long de la façade, les livrets matricules déchirés jonchent le sol. Les gendarmes et les unités finlandaises du régiment Preobraženskij interviennent à coup de crosse, de plat de sabre et même de baïonnettes. Il y a vingt blessés, dont cinq gravement. Les autres sont arrêtés massivement. Comme il n'y a déjà plus de place à la forteresse Pierre-et-Paul, trois cent cinquante étudiants sont expédiés à l'hôpital militaire de Kronstadt, transformé en prison. L'université resta encore quelques jours ouverte. Aucun étudiant ne se présentait, et les professeurs cessèrent de venir. Quelques-uns donnèrent leur démission : Pypin, Spasovič, Stasjulevič, Utin, Kavelin enfin. Cette sorte de grève força le gouvernement à prononcer la fermeture officielle (20 décembre). C'étaient les étudiants en fait qui avaient fermé l'université [85].

Les désordres de l'automne à Moscou. Le milieu moscovite était différent du milieu pétersbourgeois. Plus aristocratique, moins étatique, la vieille capitale ne possède pas de cercles radicaux. Le courant *raznočinec* y est moins fort. L'agitation universitaire commença avec retard et à l'imitation de celle de Pétersbourg. Elle fut beaucoup moins unanime mais, par contre, à l'intérieur des cercles restreints, elle prit des formes maximalistes qui étonnèrent Černyševskij lui-même [86] et qui furent désa-

84. NIKITENKO, 1955, t. II, p. 225.
85. Pour reprendre la formule de Venturi.
86. KOZ'MIN, 1961, p. 22 et ss. L'aile maximaliste est groupée autour du cercle Argyropulo et de Zajčnevskij.

vouées par les autres universités. Pour la majorité des étudiants moscovites, ces désordres furent suivis passivement, comme un chahut plus fort que les autres. Le futur historien Ključevskij, alors étudiant à la faculté d'histoire-philologie, écrivait à un ami que c'était là l'affaire « de quelques gamins peu nombreux » [87].

Les professeurs de Moscou n'aiment guère leurs étudiants. L'un d'eux écrivait, dès le mois de mai :

> « Les étudiants sont encore plus dévoyés qu'à Pétersbourg. Ils réclament ouvertement le changement de plusieurs personnalités, ne veulent pas l'intervention de l'autorité universitaire dans leurs affaires, et surtout ils ne veulent absolument plus rien apprendre. La noblesse de Moscou est fortement indignée par un tel état de choses. Le conseil universitaire n'est pas enchanté, dans l'ensemble, du nouveau règlement de Putjatin » [88],

mais il n'exprime que les réserves les plus modérées. On sait que les exonérations de droits ne pouvaient plus bénéficier qu'à dix-huit étudiants. Un amendement, pris au moins de juillet, prévoyait cependant qu'un examen spécial, passé dans les locaux de l'université, pourrait dispenser « les meilleurs et les plus pauvres », à raison de deux, au plus, par gymnase. Mais, comme le remarque le professeur Eševskij, ce ne sont pas les étudiants pauvres qui sont dangereux. Ils sont trop absorbés par les soucis matériels. Ces pauvres séminaristes, par exemple, venus à pied de Rjazan' et qui vivent presque d'aumônes, où prendraient-ils le courage de s'insurger ? [89]

Tel est l'état d'esprit du corps professoral. Il ne montra pas à Moscou la simple sympathie qui encouragea et modéra à la fois les étudiants de Pétersbourg.

La rentrée montra que les autorités universitaires avaient l'intention d'appliquer le nouveau règlement avec rigueur. On vérifia donc que les étudiants avaient en poche les vingt-cinq roubles du premier semestre. Les *shodki* furent interdites. Pour marquer la séparation entre les facultés, on fit imprimer les billets d'entrée de différentes couleurs. On cloisonna les bâtiments par d'épaisses grilles de fer ou par des portes, pour que les étudiants de droit ne puissent se réunir avec les littéraires ou les scientifiques. On interdit aux étudiants de première année de prendre part à l'élection des gérants de caisse [90].

Et pourtant, la rentrée se fit dans le calme [91]. Les étudiants trouvèrent

87. Ključevskij, lettre à Gvozdev, cit. TKAČENKO, 1958, p. 109.
88. NIKITENKO, 1955, t. II, p. 189.
89. EŠEVSKIJ, 1898, p. 577 et ss.
90. AŠEVSKIJ, 1907, 10, p. 48-59.
91. Les étudiants avaient l'intention de remettre une pétition à l'héritier du trône qui avait manifesté l'intention de suivre les cours de l'université. Mais les professeurs s'étaient arrangés pour l'en dégoûter, peu soucieux d'un honneur aussi pesant. Les étudiants furent déçus. EŠEVSKIJ, 1898, p. 577 et ss.

un piquet de soldats dans le hall d'entrée, et ils présentèrent leurs billets multicolores. Dans sa leçon d'ouverture, Čičerin dit à ces jeunes gens que, pour leur avenir, il fallait se préparer à un travail scientifique sérieux et non à la lecture des articles de revues ; qu'il fallait préférer la tranquillité de la vie universitaire aux remous politiques qui portent l'empreinte des passions du jour ; enfin, que la base de l'ordre étatique reposait sur la soumission aux lois. Les étudiants applaudirent [92].

Mais voici que le télégramme fait connaître la manifestation de la rue Kolokol'naja, sous les fenêtres du recteur de Pétersbourg. Les étudiants moscovites firent aussitôt des calembours avec le titre du journal de Herzen. — Prestige du nom ! Le 27 septembre, il y avait deux cents étudiants dans l'amphithéâtre de la faculté de droit, qui attendaient leur professeur, absent ce jour-là. Alors soudain, un étudiant monte sur la chaire et crie : « Camarades ! Laissez-moi vous lire une lettre que j'ai reçue d'un ami étudiant à Pétersbourg. » On s'étonne, mais personne ne proteste. La lettre est longue. Dans son fond elle reproduit la proclamation que nous avons analysée. La *shodka* se continue dans le jardin, houleuse, ponctuée de discours. Des délégués de l'autre capitale sont déjà là. L'inspecteur Šestjakov veut intervenir. Il est hué [93]. Les plus ardents sont les étudiants de droit de première et de seconde années [94].

La réaction des autorités fut d'une brutale maladresse. Elles ne trouvèrent rien de mieux que de fermer les deux premières années de la faculté de droit et d'exclure pour un an tous les participants de la manifestation. On récolta à cet effet toutes les motions pour en déchiffrer les signatures et en établir la liste.

> « Depuis qu'il y a des problèmes étudiants en Russie, note un témoin de ces journées, pas une seule fois l'autorité ne s'est montrée capable d'arranger les choses, n'a fait preuve d'ingéniosité ni d'esprit pacificateur, n'a su éteindre l'incendie. » [95]

Du coup, le samedi 30 septembre une foule « énorme » (en fait, quelques centaines au plus) envahit les bâtiments pour demander raison à l'inspecteur, réclame les motions, menace de tout casser, casse en effet les tables et les bancs d'un amphithéâtre, geste brutal, maladroit, réprouvé par les vieux étudiants. Čičerin, qui exprime l'opinion des

92. Čičerin, 1929, p. 43.
93. Le bruit avait également couru que les professeurs avaient réclamé l'augmentation des droits universitaires afin d'augmenter leurs traitements. Il était d'ailleurs exact que dans le train de mesures de Putjatin figurait une augmentation de traitement. *Cf.* Kavelin et Eševskij, *op. cit.* Un tel bruit renseigne sur le peu de confiance mutuelle entre les étudiants et leurs maîtres. Sur la manifestation, Salias, 1898, p. 488.
94. Ce sont souvent les plus pauvres qui attendent un débouché nouveau des réformes judiciaires. La remarque est d'Eševskij, *op. cit.*
95. Salias, 2, 1898, p. 486.

professeurs, estime que les étudiants se croient tout permis parce qu'ils se sentent protégés par la « société » et même par les autorités municipales. Ce sont en effet les professeurs qui veulent appeler la police à la rescousse, malgré l'avis du vice-curateur qui trouve le procédé « déplacé » ; et c'est le général-gouverneur Tučkov qui s'y oppose en déclarant ne pas vouloir « s'immiscer dans les affaires domestiques de l'université » [96]. A Moscou, ville de fronde aristocratique, l'esprit *činovnik* et la haine panique du désordre, maintenant, n'animent que le corps professoral.

Celui-ci nomma une commission [97] pour constater les dégâts et exclure trois cents étudiants, un tiers de l'effectif total de l'université, et bien plus qu'il n'y avait de manifestants lors de l'affaire du 27 septembre. De nouveau, il y eut un rassemblement, cette fois-ci dans le jardin de l'université et avec la tolérance du gouverneur. On rédigea une adresse au tsar. Elle demandait la gratuité d'accès aux cours, la liberté de réunion, l'instauration d'un tribunal étudiant et même la participation à l'élection des professeurs et des recteurs. C'est un programme beaucoup plus utopique que celui des étudiants de Pétersbourg. Comme saisis de remords, les étudiants organisèrent une curieuse manifestation sur la tombe du vénéré Granovskij, pour faire preuve de leur loyalisme.

> « Je voulais montrer, dit Salias, l'un des initiateurs de la manifestation, que nous les étudiants, nous respections non seulement les professeurs, mais leur mémoire. » [98]

Ils souffrent des suspicions de leurs maîtres. Ils les invitèrent à la cérémonie [99].

Comme personne ne savait le chemin du lointain cimetière Pjatnickij, et qu'il était trop coûteux d'y aller en fiacre, les étudiants décidèrent de s'y rendre en cortège, en partant de l'université. Le 4 octobre, trois cents étudiants défilèrent donc à travers le Kuzneckij Most et la Ljubanka en portant une magnifique corbeille de fleurs ornée de rubans. Une grosse foule de badauds remplissait les rues, essayant de comprendre ce qui se passait. Elle finit par croire à une procession. Les marchands, les cochers, les artisans ôtèrent leurs chapeaux et s'inclinèrent en se signant. Le cimetière était entouré de sergents de ville, de gendarmes et de Cosaques. Tout se passa le mieux du monde. Le chef de la police fit même la sourde oreille aux cris irrespectueux. Il n'y avait là que des étudiants. Ils écoutèrent quelques discours modérés, puis se dispersèrent sans que la force publique ait eu à intervenir. Le conseil universitaire, lui, fut indigné.

96. ČIČERIN, 1929, p. 17.
97. Elle « confirma que la grille avait été intentionnellement brisée par des inconnus... ».
98. SALIAS, 1898, p. 490.
99. Les professeurs furent invités. EŠEVSKIJ, 1898, p. 577 et ss.

« Tout cela a été contraire au règlement, du début à la fin. Tout cela s'est produit dans les rues de Moscou, dans les lieux publics, en présence des forces de police, et cela impunément. Cela ne va-t-il pas renforcer chez les étudiants la conviction entière qu'ils constituent une force par leur masse à laquelle les autorités n'oseront pas toucher ? »[100]

Quant au gouverneur, il se montre plus paternel que jamais. Il laisse les étudiants tenir leurs réunions dans le jardin. Il corrige même de son crayon indulgent l'adresse qu'ils envoient au tsar. Il encourage les étudiants de la faculté de physique-mathématique à se joindre à leurs camarades. L'adresse en question soulignait que les désordres de Pétersbourg n'étaient que la conséquence des règles iniques. Outre les revendications citées, elle demandait l'amnistie des étudiants sanctionnés. Le conseil de l'université refusa, évidemment, d'entériner une telle adresse. Le doyen Solov'ev, le grand historien, le professeur Surovskij, géologue fameux, s'y opposaient absolument, ainsi que le curateur, le général Isakov, qui est rentré de vacances au début d'octobre. Cette intransigeance des maîtres provoqua le heurt brutal.

Le 11 octobre, plusieurs délégués des étudiants firent irruption dans la salle des professeurs, exigèrent du curateur, qui refusa, de venir s'expliquer dans l'amphithéâtre. « Nous vous méprisons », dirent alors les délégués. Le curateur fit demander du renfort. Le chef de la police dispersa les étudiants. Mais le curateur jeta de l'huile sur le feu. Il demanda par écrit au général-gouverneur de Moscou, afin de lui forcer la main, de faire garder militairement l'université et de faire arrêter les étudiants dont il lui donna la liste. Pendant la nuit, une vingtaine d'étudiants, dont quelques-uns particulièrement innocents furent mis en état d'arrestation[101].

Le lendemain, 12 octobre, les étudiants en corps se rendirent au palais du gouverneur, sur la Tverskaja. Quatre étudiants furent introduits. Mais, soudain, avant qu'ils ne fussent ressortis, la police chargea à fond. Entourés, battus à coup de plat de sabre, piétinés par les chevaux, deux cents étudiants furent parqués devant le poste le plus voisin[102].

Or toute la ville sembla soulevée de haine contre eux. Ils furent pourchassés à travers les rues par les artisans, les boutiquiers, les portiers. Un jeune précepteur fut ainsi arraché de la calèche dans laquelle il promenait ses élèves, battu, presque lynché par la foule[103]. Un officier présent eut le plus grand mal du monde à arracher quelques jeunes

100. *Istoričeskaja zapiska.*
101. Aševskij, 1907, suit de près le récit d'Eševskij.
102. *Kolokol,* 121.
103. Un colonel rapporte à Nikitenko que le peuple s'est jeté sur les étudiants, cherchant à les écharper. Dans la foule quelqu'un criait : « Ils sont pour le maintien du servage. » La foule était enragée. Nikitenko, 1955, t. ii, p. 242.

gens à ceux qui allaient les tuer. Le soir de cette journée, trois cents étudiants, dont plusieurs gravement blessés, étaient gardés en plein air, sans recevoir aucun secours. Toute la scène s'était déroulée devant l'hôtel de Dresde : elle prit aussitôt, dans le folklore étudiant, le nom de « bataille de Dresde ».

L'absurdité de la répression saute aux yeux. On parla de provocation, et Franco Venturi, bien qu'il reconnaisse le manque complet de preuves, penche pour cette interprétation [104]. Elle ne nous paraît pas nécessaire. Le passage incompréhensible des autorités policières et militaires de la plus grande indulgence à la plus brutale sévérité, s'explique assez bien par la nature de l'Etat russe. Adapté à la simplicité extrême de la société russe, avec son net clivage entre les privilégiés et les autres, habitué à maintenir l'ordre sans nuance, il n'est pas adapté à la différenciation qui commence à apparaître depuis la mort de Nicolas. Il ne dispose pas d'une gamme étendue de moyens d'action. Pas de moyen terme entre l'inaction et la *raspravа*, le nettoyage expéditif. Par inadvertance, les étudiants ont franchi la limite qui, quelque part, sépare le bon et le mauvais côté du pouvoir.

Mais ce franchissement n'est pas définitif. C'était un accident. On ne traite pas un étudiant comme un paysan révolté ! Tout au long du XIXe siècle russe on sut faire la différence. Le résultat immédiat de la crise fut de retourner l'opinion de la « société ». Les étudiants les plus modérés tinrent, le lendemain, une *shodka* de solidarité dans la cour de l'université. Pour la première fois, les professeurs prirent leur parti. Ils formèrent avec eux un cortège en commun. Ils réclamèrent et obtinrent que l'instruction judiciaire se fasse en présence de délégués étudiants. Ils se dispersèrent et il n'y eut plus désormais de grosses assemblées [105].

Il y eut une petite suite dont le héros, l'étudiant Salias, a laissé le récit [106]. Il appartenait à un groupe assez actif, mais il se présente comme l'élément modéré. Tous les membres de son *kružok* avaient été arrêtés les uns après les autres. Il a, heureusement pour lui, de bonnes relations. Un de ses amis, dînant chez le général Isakov, le curateur, se porte garant de sa modération ; en l'arrêtant, on l'empêcherait d'exercer son influence modératrice sur les *otčajannye*, les extrémistes. Le jour de la « bataille de Dresde », il avait assisté au passage à tabac de ses camarades. Le lendemain, avec quelques amis, il a l'idée d'aller présenter une supplique au tsar en personne. Et tout de suite, il se donne le plaisir d'une petite comédie conspiratrice. On tira donc au sort le nom de vingt étudiants, qui en élirent six, qui choisiront à leur tour trois d'entre eux. Salias, qui est l'un des trois, se donna beaucoup de mal pour dépister la police. Avant de partir, il va dans le monde, au spec-

104. VENTURI, 1952, t. II, p. 384 : « Il popolo minuto di Mosca che la polizia era riuscita a mettere dalla parte sua. » Mais peut-être le peuple était-il spontané.
105. Et pour plusieurs années, calme plat à l'université de Moscou.
106. SALIAS, 1898, p. 496-500.

tacle, tient un rôle dans une saynette de salon avec l'adjoint du gouverneur, etc. Les trois conjurés ne voyagèrent pas dans le même compartiment ni dans la même classe, descendirent dans trois appartements différents. Ils n'évitèrent pourtant pas de faire une faute d'orthographe dans leur supplique : on en rira à Moscou. Le 24 octobre, ils la remettent à l'aide de camp de service, à Carskoe Selo. Ils s'attendent au pire. Dolgorukov, le chef redouté de la IIIe Section, les convoque. Mais il ne les prend pas au sérieux : « Retournez à Moscou, et que tout rentre dans l'ordre. » Ainsi, conclut Salias, « on nous pardonne ». Cette petite histoire évoque le climat : familiarité des étudiants avec le milieu dirigeant — ils sont à quelque degré cousins, alliés des puissants, invités par eux [107] — ; caractère ludique d'une révolte si amusante et saturée de littérature ; enfin, l'accent puéril du « on nous pardonne ». Le Père est bon.

C'en est fini, à Moscou, des mouvements de « masse ». Les plus acharnés voulaient faire la grève générale jusqu'à ce que soit décidé le sort des emprisonnés. Ni les vieux étudiants ni les étudiants de médecine ne veulent les suivre. La vie universitaire continua donc jusqu'à la fin de 1861, sans autre incident qu'un chahut du professeur Čičerin (28 octobre). On lui reprochait son « esclavage philosophique », c'est-à-dire sa défense théorique de l'obéissance aux lois [108].

Les échos à Kiev et à Kazan'. Le 9 octobre, les étudiants russes et les étudiants polonais de l'université de Kiev avaient commencé à manifester ensemble contre le règlement de Putjatin [109]. Mais bien vite, les Russes s'inquiétèrent des agissements de leurs camarades. Ils étaient entrés en force dans la salle des Actes, avaient brisé des panneaux où étaient affichées les nouvelles réglementations, avaient déchiré les affiches officielles et crié en polonais : « C'est notre université ! » Les étudiants russes demandèrent des explications. Elles furent houleuses. Les Polonais voulurent écharper un étudiant juif, qui fut défendu par les Russes ; il s'ensuivit une bagarre où les Polonais eurent le dessus. Les autorités surent profiter de l'aubaine. Le nouveau curateur [110] autorisa une contre-manifestation d'étudiants russes qui protestèrent contre les illégalités commises le 9 octobre, et contre le nationalisme des Polonais, « dans un pays qui n'est absolument pas polonais ». Le conseil de l'université leur suggéra de voter une adresse [111], qui se réduisit à des plates

107. En particulier Salias lui-même, fils de la comtesse Salias de Tournemire, femme de lettres connue sous le nom d'Evgenija Tur. La supplique était d'ailleurs fort modérée et reconnaissait « le très-saint devoir d'observer sévèrement l'ordre et d'obéir aux lois ». *Ibid.*
108. *Kolokol,* 125.
109. AŠEVSKIJ, 10, 1907, p. 64.
110. Il s'appelait Nikolaj.
111. Cette seconde adresse recueillit 300 signatures contre 160 à la première qui émanait des étudiants eux-mêmes.

excuses et à la promesse de maintenir l'honneur et la dignité de l'université.

Les désordres prirent rapidement fin, parce que les Polonais abandonnèrent l'espoir d'entraîner les étudiants russes, renoncèrent à la tactique des *shodki* et entrèrent dans les sociétés secrètes qui préparaient le soulèvement armé.

Aux causes générales de désordre s'ajoutait, à Kazan', une cause locale : la détestation qui entoure le professeur de physique Bolc'mann, dont le cours est incompréhensible à ses élèves. L'un d'eux est renvoyé et, sur l'ordre du curateur, éloigné de la ville. Le 7 octobre, une délégation vient demander justice au recteur. Le lendemain, l'inspecteur se fit mettre à la porte par les étudiants. Le conseil universitaire ne barguigna pas. Il fit fermer l'université et la fit garder par un bataillon de soldats. Nous retrouvons à Kazan', comme à Moscou, le réflexe panique devant le « désordre ». Quand les étudiants trouvèrent les portes closes, ils manifestèrent à grands battements de pieds et de mains, et réclamèrent le curateur. Le maître de police les somma de se disperser et ils se dispersèrent en chantant des chansons frondeuses de leur composition [112]. Les étudiants en médecine se désolidarisèrent. Ils eurent donc accès aux cours, moyennant la présentation d'un billet d'entrée. Pour les autres, il fallut attendre la réouverture de l'université, le 21 octobre.

La signification de l' « affaire des étudiants »

Avant de porter un jugement sur cet épisode, qui marque la fin de ce qu'on pourrait appeler la période universitaire de l'intelligentsia russe, il est bon de s'interroger sur les réactions de l'Etat et de la « société » devant cette soudaine et massive sécession de la jeunesse universitaire. Il serait intéressant, par ailleurs, de connaître de plus près ces mauvaises têtes : des étudiants parmi les autres, ou bien une fraction socialement typée ?

Les suites judiciaires. Une étonnante proportion de l'effectif étudiant s'était trouvée ou se trouvait sous les verrous. Elle atteignit un tiers à Moscou et plus de la moitié à Pétersbourg. De même que la police, la législation russe n'était pas faite pour trancher des cas de ce genre. Que faire de cette masse de jeune gens, souvent de bonne famille, espoir

112. GESSEN, 1932, p. 37, donne le texte d'une de ces chansons :

> « On peut même sans brouette aller de l'avant
> Nous pouvons peu à peu, croyant dans le progrès,
> Nous frayer un chemin à travers l'obscure forêt. »

Et encore :

> « Tout ce qui es jeune, tout ce qui est hardi,
> Qui n'a pas la langue flatteuse ni prudente
> En qui l'étincelle sainte couve encore
> Est en exil ou en forteresse. »

de la société russe et de l'Etat ? Les traiter en criminels est aussi impossible que de les relâcher [113].

A Pétersbourg, les étudiants furent déférés à deux commissions spéciales [114], qui siégèrent à Pétersbourg et à Kronstadt, et dans lesquelles l'Université était représentée par le professeur Nikitenko et par le professeur Andreevskij. « Tous me parurent des garçons très bien » (*porjadočnye ljudi*), écrivit Nikitenko dans son journal. Pas un membre des commissions ne songea à les traiter « en criminels d'Etat » (*gosudarstvennye prestupniki*) [115]. Le gouvernement était surtout inquiet d'une liaison possible entre ces manifestations et la proclamation *A la jeune génération* dont l'auteur, Mihajlov, considéré par certains services de police comme « la tête des étudiants », avait été arrêté en décembre. On surveilla doublement Černyševskij, que l'on soupçonnait d'avoir rédigé la proclamation affichée dans la salle des Actes. Mais la IIIe Section ne put fournir la moindre preuve, et le tribunal était résolu à s'en tenir au droit. Les étudiants se défendirent bien, s'en tenant aux faits et s'abstenant de déclarations politiques : ils n'avaient pas enfoncé la porte de la salle des Actes, puisqu'elle n'était pas fermée à clef ; ils ne sont pas responsables de la proclamation et ils n'en approuvent pas le contenu, etc.

Que faire ? Les déférer au tribunal ordinaire ? Les casser et les incorporer comme simples soldats dans la ligne, comme sous Nicolas ? Les amnistier ? [116] On se résolut au compromis et à des sanctions administratives. Par un *prikaz* en date du 13 décembre, cinq étudiants [117] étaient exclus de l'université et exilés dans des villes d'*uezd*, situées dans des gouvernements éloignés, où ils résideraient sous la surveillance de la police. Il y avait également 32 étudiants exclus, et, à moins qu'ils ne trouvent des répondants dans la capitale, exilés dans les gouvernements du Nord : Vjatka, Olonec, Vologda, alors que 192 étudiants, les plus jeunes, reçurent un avertissement et furent aussi obligés de se trouver un répondant [118].

A Moscou, la plupart des étudiants avaient été relâchés après les premiers interrogatoires. Trente-six seulement restèrent incarcérés. La

113. Kavelin écrivait en décembre 1861 qu'à cause de la dureté des lois on était obligé de donner un caractère politique à des mouvements de jeunesse relativement innocents. On est obligé de fermer les yeux à moins de sacrifier ces jeunes gens en les envoyant au bagne. Mais ils en retirent à tort l'idée qu'on les approuve. Si les lois étaient adaptées, on pourrait et on devrait prendre leurs écarts au sérieux. *Rapport sur les désordres de l'université de Saint-Pétersbourg*, KAVELIN, 1898, p. 1206.

114. Celle de Pétersbourg jugeait les étudiants arrêtés avant le 12 octobre et celle de Kronstadt, les étudiants arrêtés après le 12 octobre.

115. Le *Kolokol*, 114, 1er déc., prête cette intention à Putjatin, Filipson et Šuvalov.

116. Les trois solutions ont leurs partisans à en croire le *Kolokol*, 116, p. 119-120.

117. Gen, Mihaelis, Gerike, Novoselickij et Frenkel.

118. Quelques peines furent aussi distribuées aux manifestants non étudiants, 5 exils et pour 62 encore, l'obligation du répondant. AŠEVSKIJ, 10, 1907, p. 71-80.

commission spéciale qui les jugea fut relativement sévère : deux étudiants furent exclus et exilés dans des villes perdues [119]. Ils gardaient cependant la faculté de postuler un poste de fonctionnaire. Pour la scène du 11 octobre, il y eut quinze exclus. Une dizaine de manifestants de la « bataille de Dresde » durent signer, à moins d'exclusion, un engagement d'observer à l'avenir tous les règlements. Quelques peines légères furent encore distribuées aux auditeurs libres et aux manifestants qui n'étaient pas des étudiants.

Pour l'affaire de la supplique au tsar, Salias fut placé sous surveillance de la police pendant vingt ans, ce qui ne l'empêcha pas de faire une belle carrière de journaliste conservateur.

A Kazan', enfin, la répression fut plus forte. Les commissions ne prononcèrent pas moins de soixante-six exclusions [120]. Bien que moins coupable que Pétersbourg ou Moscou, l'université située au bord du pays russe, près des territoires militaires et des traditions répressives héritées du temps de Pugačev, fut traitée plus sévèrement que les autres. Mais, à l'aune russe, ce n'était pas terrible.

Un bon signe de l'hésitation gouvernementale fut la douceur étonnante des conditions de détention [121]. Ce furent de grandes vacances. Les étudiants vivaient ensemble, et ils pouvaient se promener dans le jardin. Ils étaient bien nourris et leurs parents avaient toute faculté de leur apporter de bonnes choses. L'appartement du commandant de la place servait de parloir pour les visites. Ils recevaient les journaux et les livres qu'ils voulaient. Ils montèrent des chœurs, des saynettes et même un opéra satirique qui, sur des airs à la mode, faisait chanter étudiants, curateur, ministre, policiers... « Les deux mois passés dans cette caserne, écrit un étudiant, restent parmi les plus heureux de ma vie. » [122] Lorsqu'en novembre 1861 le prince Suvorov remplace au poste de gouverneur le général Ignat'ev, son premier geste est d'aller rendre visite aux étudiants incarcérés. Il plaisante avec eux, les remercie d'être responsables de sa mutation de Riga à Pétersbourg. Il leur promet de se proposer lui-même comme répondant, après leur libération. Les quelques exilés furent accompagnés avec des bouquets, des adieux longs, bruyants, émouvants, comme des héros. Les autorités croyaient encore à la douceur.

Le monde adulte. Il était inutile — comme le gouvernement le fit un moment — de chercher les responsables hors du milieu étudiant. On ne peut comprendre cette affaire, à moins d'admettre que les étudiants sont complètement abandonnés à eux-mêmes.

Dans le meilleur cas, c'est-à-dire à Pétersbourg, les professeurs n'ont défendu leurs étudiants que dans le secret des délibérations du conseil

119. Gizycki et Vojnaral'skij.
120. Aševskij, *ibid.*, p. 62-64. Certains exclus ne doivent pas être oubliés : Elpidin, Karakozov...
121. Aševskij, 9, 1907, p. 82-85.
122. Nikoladze, 1927, p. 46.

ou dans le cabinet du curateur et du ministre. En public, ils les exhortaient au calme. Les plus populaires, Kavelin, Utin, Spasovič, Stasjulevič, perdirent d'un seul coup leur popularité [123]. Il a été de très grande conséquence que les principaux représentants de l'idée libérale auprès des étudiants n'aient pas pu se montrer solidaires dans la première grande crise traversée en commun. Avec eux, c'était le libéralisme qui perdait son autorité. Dans le pire des cas, à Moscou et à Kazan', ils se sont faits des auxiliaires timorés de la police, et ne manquent pas une occasion d'étaler leur indignation.

Il ne faut pas attribuer cette carence à une divergence idéologique. Comme si, dans leurs manifestations amorphes, les étudiants avaient voulu soutenir une idée ! C'était plus grave. La crise montra dans leur vérité les rapports entre les maîtres et les élèves dans une université russe : les professeurs se sentent appartenir à un monde d'adulte, très loin et très haut au-dessus de ceux qu'ils considèrent comme des mineurs. Point de communication entre eux.

> « Pas une seule fois, écrit au ministre le gouverneur de Moscou, ils ne se sont adressés directement aux étudiants pour leur expliquer les mesures gouvernementales et les ramener à l'ordre. » [124]

Il est contraire à la dignité de leur grade de bien connaître l'étudiant, comme il est inconcevable à ce dernier de s'ouvrir à un « prêtre de la science ». Un jour, quelques étudiants de Moscou eurent l'idée de demander conseil (sur une question insignifiante) au professeur Dimitriev. Celui-ci se fit porter malade.

> « Je croyais, avoue-t-il quelques jours plus tard, que vous veniez me rosser. Oui, je regarde par la fenêtre : toute une bande ! Non, me dis-je, c'est impossible, ils vont me rosser ! » [125]

Tel est le résultat de plusieurs années de petite guerre : méfiance réciproque et ignorance. L'information ne circule plus, et c'est la raison décisive de la maladresse des responsables et de l'issue lamentable de cette affaire. Personne ne sait rien. Le curateur de l'université de Pétersbourg confiait au professeur Nikitenko :

> « Savez-vous seulement combien il est difficile de connaître l'état des choses à l'Université ? Les renseignements dignes de confiance, je les reçois sur toutes choses du ministre, et le ministre les reçoit de la IIIe Section. La IIIe Section sait tout par ses espions. Vous pouvez vous rendre compte combien une telle voie est agréable ! » [126]

123. Panteleev, 1958, p. 244-246.
124. Aševskij, 10, 97, p. 59.
125. Salias, 1898, p. 489-490.
126. Nikitenko (dans son journal à la date du 24 sept. 1861), 1955, t. II, p. 212.

Ces hommes, nourris de Schelling et de Hegel, obsédés par l'exemple des universités allemandes et qui n'ont que le mot organique à la bouche, ont été finalement incapables de faire une unité vivante de leurs universités. A l'encasernement qu'on lui propose, il n'existe pas pour l'étudiant d'autres alternative que l'encadrement qu'il se donne à lui-même. Le professeur a peur de son élève dès que le principe de subordination, dont l'origine est extérieure à la relation naturelle maître-élève, est rompue. Il se souvient brusquement qu'il est fonctionnaire d'autorité.

Qui, hors des étudiants eux-mêmes, avaient pu fomenter la révolte ? Les Polonais ? Ils sont le bouc émissaire idéal. Ils ont déclenché les désordres à Kiev et, à Moscou et Pétersbourg, ils y ont pris part [127]. Le professeur Šestjakov, de l'université de Moscou, prétendait que le *bunt* était l'affaire des Polonais : un des chefs n'était-il pas Gizycki, ami de Kolyszko, président de la société des étudiants polonais et futur leader de l'insurrection de 1863 ? Ne pouvait-on encore citer Dluski, ancien « criminel politique » amnistié en 1855, et Sierakovski ? Mais cette thèse suppose un degré d'organisation que le mouvement étudiant n'avait pas. Les Polonais vivaient à part des Russes, dans leur propre organisation. La cause des étudiants russes n'est pas leur cause, leur enthousiame et leur déception leur sont étrangères. Il y avait, à Pétersbourg, un délégué polonais, dans le petit noyau qui se voulut dirigeant et qui fut bientôt arrêté : il n'intervint presque pas dans ses débats et ne fit aucune proposition particulière [128]. L'organisation polonaise fut certainement ravie par cette « diversion » qui pouvait aider la préparation de l'insurrection. Mais elle ne s'engagea pas, et subit peu d'arrestations. Dans les listes d'arrêtés [129], il y a une proportion de noms polonais inférieure à la proportion réelle d'étudiants polonais, ne serait-ce qu'à cause de leur expérience plus grande des méthodes de répression. Nulle part, les étudiants russes ne reprirent à leur compte les mots d'ordre nationalistes polonais. Nous n'avons aucun témoignage d'une provocation polonaise. Elle n'est, comme l'a justement dit Aševskij, qu'un « mythe patriotique » [130].

Le gouvernement soupçonnait l'état-major du *Sovremennik*. Il n'y était pour rien. Černyševskij se trouvait à Saratov, et Dobroljubov revenait juste, agonisant, de l'étranger, quand les désordres éclatèrent. Il est possible, bien que très peu probable, qu'à l'époque Černyševskij songeait à fonder une société secrète. Mais il n'était pas question pour lui de diriger ni d'inspirer ce mouvement. Un de ses seconds, le jour-

127. C'est la version d'Eševskij, pour qui l'affaire étudiante est *polskoe delo*. Il ajoute que les Polonais étaient parmi les plus pauvres.
128. Panteleev, 1958, p. 174.
129. *Cf.* une de ces listes dans *Kolokol*, 1er déc. 1861, p. 955.
130. Aševskij, 10, 1907, p. 68. Il est à noter que selon Aševskij il y eut aussi quelques accusations contre les Juifs. Mais il y avait en tout et pour tout 11 étudiants juifs à Pétersbourg. On sait que pendant les « années soixante », les Juifs de Russie jouent la carte de l'assimilation.

naliste Eliseev, posa, il est vrai, à l'un des étudiants du « cercle dirigeant » cette question enfantine : « Y a-t-il, parmi vous, trois cents personnes prêtes à tout ? » — « Oui », répondit bien sûr l'étudiant, avec la superbe de l'âge [131]. Ce que comptait faire Eliseev de ces trois cents desperados resta confus. Quand on rapporta cela à Černyševskij, quelque temps plus tard, il ne fit qu'en rire. A Moscou, il n'existe même pas de cercles radicaux. Les milieux littéraires, encore influencés par les mouvements slavophiles, sont désapprobateurs. Ivan Aksakov, dans son journal *Den'*, stigmatise « ces cris et ce vacarme insensé », ce « manque de respect pour la science » [132]. Čičerin écrivait qu'il fallait convaincre le gouvernement que tout le mouvement universitaire, littéraire, mondain n'est ni dangereux ni sérieux. Ce ne sont en tout et pour tout que des billevesées littéraires de petits officiers de vingt ans et d'étudiants de première année. « A Saint-Pétersbourg, il y a peut-être des gens doués qui se sont laissés entraîner ; à Moscou, pas un. » [133]

Quant au petit peuple moscovite, il ne vit dans le mouvement étudiant qu'un *bunt*, qu'une révolte : les jeunes barines se dressent contre le tsar, ils veulent peut-être rétablir le servage [134]. C'est pourquoi le petit peuple fera dans les rues la chasse à l'étudiant.

Il n'y a pas d'autres causes immédiates aux désordres étudiants que les sottes mesures de Putjatin. Mais l'esprit public les a puissamment cautionnées. La « société » voyait dans les réglementations nouvelles le signe d'un retour à un passé honni, et elle n'était pas fâchée de mesurer la capacité de résistance de la jeunesse. « Tous ceux, dit Aševskij, qui n'avaient pas perdu foi dans l'avenir meilleur de notre éducation étaient indignés. » [135] Et les étudiants le savaient. « Ils entendaient partout les mêmes exhortations : est-ce que vraiment vous, les étudiants, vous allez vous laisser faire ? » [136] Plus on s'élève dans la société, plus la solidarité avec les étudiants est de bon ton. A Moscou, elle se rencontre dans la haute aristocratie et la haute administration, qui ne cèdent qu'à regret aux réclamations du corps professoral [137]. A Pétersbourg, il ne fait pas bon de critiquer la jeunesse. Dans son journal, Nikitenko constate avec mélancolie qu'il n'y a plus que le concierge de l'université pour traiter les étudiants de *smutniki* [138].

131. PANTELEEV, 1958, p. 244.
132. Kostomarov protesta pourtant en termes modérés : « Si, ils vénèrent la science, ils la vénèrent, même ceux qui la connaissent mal... C'est l'obstacle mis sur le chemin de l'instruction des pauvres qui les a indignés. » AŠEVSKIJ, *ibid.*, p. 59-62.
133. ČIČERIN, 1929, p. 25.
134. Il n'y a pas de raisons de l'imaginer excité par les sombres machinations du chef de la police, comme le soupçonne le *Kolokol*, 119-120.
135. AŠEVSKIJ, 10, 1907, p. 69.
136. PANTELEEV, 1958, p. 247.
137. Ainsi le gouverneur Tučkov qui ne cède que de guerre lasse et qui n'est pas responsable du matraquage, lequel est dû au chef de la police et au chef des gendarmes.
138. NIKITENKO, 1955, t. II, p. 232 (21 oct. 1861).

« Dans le mouvement actuel, il n'y a pas que la jeunesse d'impliquée. Tout l'enseignement supérieur d'ici et de province sympathise avec lui. Tous les théoriciens libéraux et les journalistes sont de leur côté. »[139]

Mais il n'y a pas que les théoriciens et les journalistes : même au cercle ou au club, les étudiants sont tabous :

« J'ai rencontré Gončarov — l'écrivain et le censeur — qui m'a conseillé d'être prudent. Il a dîné au club hier, et il a entendu plusieurs personnes qui me critiquaient parce que je n'approuvais pas les exploits des étudiants... Tous regardent les étudiants comme des martyrs. Leur insolence, leur désobéissance aux lois et au pouvoir sont considérés comme de l'héroïsme et le gouvernement est invectivé de toutes les façons. »[140]

Les étudiants les plus frondeurs sont les plus fêtés. Ceux qui ont accepté les livrets matricules, les infâmes *matrikulisty*, se voient au contraire fermer toutes les portes[141].

C'est l'apogée des bonnes œuvres. Tous les concerts, les quêtes en faveur des étudiants rapportent plus qu'avant. Les officiers de la garde y assistent en uniforme. Livres, journaux, argent, provisions affluent à la forteresse. « Quand les étudiants sortirent, c'est tout juste si on ne les porta en triomphe. » Ils sont accueillis avec des larmes, des questions à n'en plus finir, et chacun leur offre de l'argent[142].

C'est certainement en pensant à cette attitude plus que solidaire, presque provocatrice de la société, que Pirogov disait que l'Université est le baromètre sur lequel se lit l'humeur de la « société ». C'est pourtant cette « société » qui, avant six mois, suspectera les étudiants de s'être commis avec les incendiaires de mai 1862. Ce brusque retournement est senti comme une trahison. Il n'est pas étranger au repli sur soi que constitue, sur le plan psychologique, l'entrée dans les groupes révolutionnaires clandestins. Mais on aimerait connaître d'un peu plus près ces jeunes gens en colère qui avaient goûté, à Pierre-et-Paul ou à Kronstadt, les joies de l'héroïsme partagé.

Qui sont les étudiants arrêtés ? La thèse de la « période *raznočinec* » du mouvement révolutionnaire trouverait un renfort appréciable, s'il était prouvé que les *raznočincy* avaient pris à ces désordres une part plus active que les autres. C'est pourquoi il serait bien agréable pour l'historien qu'un bureaucrate russe ait dressé la statistique souhaitée des composantes sociales et familiales des étudiants arrêtés. Hélas, bien peu

139. *Ibid.*, p. 217 (4 oct. 1861).
140. *Ibid.*, p. 221, 231.
141. Panteleev, 1958, p. 247.
142. *Ibid.*

de documents de ce genre sont parvenus jusqu'à nous. Le premier est un brouillon d'un rapport de police, mal écrit et mal fait [143]. Il donne la « liste des étudiants et des personnes d'autres dénominations *(zvanie)* arrêtés et dirigés sur la forteresse de Saint-Pétersbourg le 12 octobre 1861 ». Sur les 130 indications utilisables, 119 fois sont donnés le domicile des parents, 51 fois leurs dénomination *(zvanie)* et parfois leur profession.

Pour l'origine sociale, elle reproduit à peu près la proportion normale du milieu étudiant ; mais une liste aussi courte n'a pas de valeur probatoire. Signalons tout de même que, sur 51 cas, 25 étudiants sont fils de fonctionnaires de tous grades, 4 sont fils de prêtres et 21 fils de nobles (*dvorianin*, sans autre précision) et de propriétaires fonciers (*pomeščiki*).

Plus intéressantes sont les indications de l'origine géographique. Sur 119 cas, 20 étudiants seulement ont leur famille à Saint-Pétersbourg ; 37 proviennent du royaume de Pologne et des trois gouvernements limitrophes de Grodno, Vilna et Kovno : leurs noms ont le plus souvent une allure polonaise ; 62 enfin viennent de la province, parfois de gouvernements aussi éloignés que ceux de Herson et de Bessarabie. Autrement dit, la plupart des étudiants de cette liste sont des déracinés, dont la famille vit au loin. Une des raisons de la vitalité des *kružki*, des communes, des groupes de jeunes du même genre, est de tenir lieu de substitut à la famille absente. Notons enfin qu'il y a 17 orphelins.

Une seconde liste est plus détaillée et d'emploi moins hasardeux [144]. Elle est établie par les soins de la commission d'enquête sur les désordres étudiants. Elle donne 93 cas. Presque toujours sont indiqués l'âge des étudiants, la situation des parents, parfois leurs ressources.

L'âge moyen des étudiants arrêtés est de 20 ans. 30 seulement ont moins de 20 ans — le plus jeune ayant 16 ans — et 10, plus de 23 ans.

L'origine sociale est on ne peut plus variée. Tout l'éventail des conditions est là, depuis le sénateur jusqu'au petit artisan juif.

Donnons le détail :

— 15 enfants de nobles et de *pomeščiki*. L'indication de noble est bien vague. Mais quand on précise que le noble vit dans un gouvernement éloigné, il y a une assez forte présomption pour qu'il soit propriétaire foncier ;

143. CGIAM, F. III ot., eks I, 277, č. 3, 1861, p. 69-76. Cette liste est d'utilisation difficile parce qu'elle ne donne pas pour chaque personne arrêtée les mêmes renseignements.

144. « Commision d'enquête établie pour mesurer le degré de culpabilité des étudiants arrêtés à l'occasion des désordres de 1861 à Saint-Pétersbourg. » Les noms sont répartis en plusieurs catégories : 1° pas coupables et arrêtés au hasard (7 noms) ; 2° coupables gravement (8 noms) ; 3° coupables (18 noms) ; 4° coupables moins gravement encore (55 noms) ; 5° culpabilité douteuse (4 noms). CGIAM, F. 1405, op. 59, n° 6639, 6641, 6642, 6643.

— 8 enfants de médecins, professeurs, artistes, pharmaciens, juristes, que l'on peut, par anticipation, ranger parmi les professions libérales ;
— 30 enfants de fonctionnaires de rang élevé. Nous entendons par rang élevé celui qui se trouve au-dessus du *čin* de conseiller titulaire ou de capitaine. Conseiller titulaire est un rang modeste, mais il marque la limite au-dessus de laquelle le Service confère la noblesse personnelle ;
— 14 enfants de fonctionnaires subalternes, c'est-à-dire occupant la partie basse du tableau des rangs, ou bien employés de chancellerie ;
— 8 enfants de marchands et de citoyens honoraires ;
— 8 enfants de prêtres et de clercs ;
— 8 enfants du peuple enfin. Ce sont ceux dont les parents sont *meščane*, paysans, Cosaques. Dans la liste, il n'y a en fait qu'un seul *zemledelec* (cultivateur) et un seul Cosaque. Les autres font partie de la plèbe urbaine [145].

On voit donc que, là encore, la liste des étudiants arrêtés ressemble à un échantillon pris au hasard de la population estudiantine dans son ensemble, si l'on ne considère que l'origine sociale.

Mais, par exception, notre document fait état d'une situation économique. Elle retient en effet le cas où l'étudiant subsiste par des leçons particulières et des « travaux personnels ». Il y en a 21. Ils se répartissent ainsi :

Noblesse	2	sur	15
Professions libérales	4	sur	8
Fonctionnaires de rang élevé	7	sur	30
Fonctionnaires subalternes	3	sur	14
Marchands et citoyens honoraires	0	sur	8
Clercs	5	sur	8
Peuple	3	sur	8

S'il y avait une relation automatique entre la pauvreté et le fait de donner des leçons, il apparaîtrait que la catégorie la plus pauvre aurait été celle des enfants du clergé. Cela est conforme à la légende et peut-être à la réalité. Mais si cette relation existait, cela impliquerait aussi que les bas fonctionnaires sont plus gênés que les fonctionnaires

145. On voit que nous mélangeons la notion économique de classe et de profession avec celle, juridique, de *soslovie*. En Russie il est difficile d'approcher autrement la réalité sociale. Si l'on veut revenir à la classification par caste, la seule employée d'ordinaire, nous avons :
Nobles et *činovniki* : 66
Clergé : 8
Classes urbaines : 16
Classes rurales : 2.

de rang élevé, et que les enfants d'artisans sont plus favorisés que ceux des médecins ou des professeurs. Cela est peu vraisemblable.

On peut alors imaginer que la recherche de l'indépendance économique vis-à-vis des parents peut être le signe d'une rupture spirituelle, tout autant et plus qu'un effet de la pauvreté. Le fils de pope n'est pas devenu pope ; il est devenu étudiant, contre la volonté de son père, athée peut-être, socialiste... Il ne veut pas dépendre de lui. C'est sans doute aussi le cas de ces fils de hauts fonctionnaires qui ne veulent pas profiter des privilèges de leur condition. Notre document nous parle assez longuement d'un certain Juzakov, âgé de vingt-quatre ans et auditeur libre à l'université depuis 1861. Son père était prêtre dans le gouvernement de Perm'. Il a passé cinq ans au séminaire, puis il a erré dans la vaste Russie et jusqu'en Turquie. Depuis qu'il est à Pétersbourg, il place ses travaux dans le *Sovremennik.* Dira-t-on qu'il travaille parce qu'il est pauvre ? Dans la psychologie de ce Juzakov, combien pèse la pauvreté paternelle à côté de la rupture autrement grave et complexe avec le prêtre de campagne ?

Encore une fois, donc, nous pensons que l'indication intéressante porte sur le déracinement du milieu étudiant. Sur 81 cas, où le domicile des parents peut être présumé avec suffisamment de certitude, 22 seulement sont domiciliés à Pétersbourg et dans le gouvernement de Pétersbourg. Tous les autres, qui vivent en bandes ou isolés, sont des provinciaux : 55 viennent de la Russie centrale, méridionale et orientale, 12 de la Russie de l'Ouest et du royaume de Pologne, 2 sont étrangers. Enfin, nous retrouvons le chiffre stupéfiant d'orphelins. Un tiers des étudiants de cette liste (soit 29) sont orphelins de père ou de leurs deux parents.

Gardons-nous de trop conclure d'un texte aussi fragmentaire. Il reste qu'il n'apporte aucune raison de modifier ce que nous avons déjà dit sur le rôle de la composante sociale dans l'évolution du monde étudiant de ces années. Il ne s'agit pas de le nier, et elle a certainement agi indirectement dans la mesure où l'étudiant pauvre entrait naturellement dans le rôle qui lui était dévolu par les représentations mythiques du milieu étudiant d'alors, représentations qui n'étaient pas d'ailleurs issues uniquement de la fraction la plus pauvre de ce milieu. Mais il ne s'agit pas de le privilégier. Dans ce mouvement où les têtes et les cœurs étaient plus engagés que les corps et les bras, le nombre des orphelins et le nombre des provinciaux sont au moins autant significatifs.

La fin et les prolongements du mouvement étudiant

Le mouvement étudiant était condamné puisqu'il n'y avait en Russie ni corporation ni esprit de corps universitaire, et que les étudiants s'intéressent moins à eux-mêmes comme étudiants que comme intellectuels dans la société russe. L'Affaire de l'automne 1861 avait commencé comme une affaire étroitement étudiante : les règles instituées par Putjatin en mai 1861 en avaient été l'origine indiscutable. Mais vécue comme une lutte pour les Lumières, le Progrès, la Liberté, confuse et inadéquatement réprimée, elle fut aussi bien la dernière que la première affaire du mouvement étudiant. Plus que jamais, les étudiants regardent au-delà des murs de leur université, et s'il leur arrive encore de s'agiter, celle-ci reste calme.

Le retour au calme. Dans le retour au calme, le renouvellement du milieu étudiant est un facteur important [146]. L'université de Pétersbourg reste fermée jusqu'en août 1863. Mais les examens de sortie continuèrent d'avoir lieu. N'importe quel étudiant, fût-il simple auditeur libre, eut le droit de se présenter, et dans la section qu'il voulait, quelle qu'ait été sa formation antérieure. Ceux qui ne se sentaient pas très sûrs d'eux se présentaient à l'examen de droit, le plus facile. Les examinateurs, sans doute sur les instructions du ministre, firent preuve de la plus grande indulgence. Toute une génération s'en alla de cette façon [147].

Une autre cause de renouvellement fut le départ massif des étudiants polonais, anxieux de prendre les armes et de participer à l'insurrection de 1863. 465 étudiants de Moscou partirent avant la fin du terme normal de leur scolarité. Parmi eux, beaucoup de Polonais. Les effectifs de l'université de Kiev diminuèrent de moitié. Les rapports entre les deux communautés étaient d'ailleurs devenus impossibles. Les Russes, qui craignaient une « Saint-Barthélemy », s'étaient formés en groupes de défense et barraient peureusement portes et fenêtres de leurs locaux [148].

L'échec ridicule de l' « Université libre » fit apparaître que les temps avaient changé. Au début de l'année 1862, lorsque la plupart des étudiants sortirent de forteresse, l'opinion était encore entièrement pour eux. Quelques étudiants, groupés autour du professeur Andreevskij, cherchèrent à leur venir en aide et n'eurent pas de mal à réunir des secours ; le général-gouverneur lui-même donna cinq mille roubles. Il se forma alors un comité qui comprenait, avec Andreevskij, huit étudiants, dont Nicolas Utin, déjà engagé dans les activités conspiratrices. Il se proposa d'aider les étudiants à préparer leurs examens en organisant des cours publics dans les locaux de la Duma et de la Petersschule. Outre les professeurs réguliers, il fit appel à des concours extérieurs : à Pobe-

146. « D'une façon générale, après les événements de la place Tverskaja (la « bataille de Dresde ») l'université de Moscou se calma complètement pour plusieurs années. » ČIČERIN, 1929, p. 45.
147. AŠEVSKIJ, 10, 1907, p. 70-71. D'ailleurs, même les étudiants exclus avaient souvent des dispenses pour passer leurs examens. Alors qu'ils se trouvent en prison, Zajčnevskij et Argyropulo sollicitent l'autorisation de se présenter à l'examen de *kandidat* et le curateur transmet la demande au gouverneur. CGIAL, F. 733, op. 38, p. 271.
148. AŠEVSKIJ, *ibid.*, p. 73-74.

donoscev, à Černyševskij, à Lavrov [149]. Le futur procurateur du Saint-Synode refusa d'enseigner aux côtés du rédacteur du *Sovremennik*, et le ministre refusa à Černyševskij et à Lavrov l'autorisation nécessaire. Les cours durèrent un mois (février 1862). Puis ce fut l'incident. Le professeur Pavlov, ayant fait un discours imprudent à propos du millénaire de la Russie, ayant été arrêté puis exilé, en protestation, le Comité décida de suspendre les cours. Mais Kostomarov, qui avait préparé une conférence, ne voulait pas la laisser perdre : il déclara que la science était au-dessus de ces contingences, et qu'il prononcerait son cours. Scandale ! Un étudiant le traita de misérable, de second Čičerin, avec la croix de Stanislas au cou [150]. L'assistance menaça de lui lancer des cornichons salés et des pommes cuites.

Le fait nouveau, et très grave, est que l'opinion, pour la première fois, prit parti contre les étudiants. Ce fut paradoxalement le plus libéral, et, il y avait peu, le plus populaire des professeurs de Pétersbourg, qui fut l'occasion de ce divorce [151]. Le retournement de l'opinion eut la soudaineté et la violence des événements d'ordre affectif. On peut le dater d'avril et de mai 1862. La « société », depuis quelques années, projetait sur les étudiants une image embellie d'elle-même. La Jeunesse, avec une immense majuscule, incarnait les générosités idéales et les formes de courage qu'elle n'avait pas ou qui lui étaient refusées. Mais, dès l'hiver, elle commença à prendre peur. Le choc de la libération des serfs, les incertitudes polonaises, les désordres universitaires, le ton de plus en plus « enragé » des proclamations qu'affichent les premiers groupes clandestins alourdissent le climat. L'arrestation de Mihajlov fut l'avertissement d'une répression. Ce fut la fin (provisoire) du libéralisme et du radicalisme mondains. La même « société » éclairée, dans la mesure où elle se sentait coupable du cours dangereux des choses, cherchait à se justifier, à se rétracter bruyamment. Rien n'était plus indiqué que de désavouer les étudiants. Ils étaient l'image de la société : répudier cette image, les dénoncer comme révolutionnaires, était se réconcilier avec soi-même et se rassurer.

Au début de mai, une série de grands incendies se déclara à Pétersbourg. Le 23 mai, il y eut cinq incendies à la fois, et déjà courut, dans certains journaux, le bruit qu'il pourrait y avoir malveillance [152].

Après quatre jours de répit, mais pendant lesquels parut sur les murs la proclamation « incendiaire » dite *Molodaja Rossija*, éclata le gigan-

149. Autres professeurs sollicités : Andreevskij, Beketov, Blagoveščenskij, Kavelin, Kostomarov, Mendeleev, Pavlov, Sovetov, Spasovič, Sečenov, Famicyin. Aševskij, *ibid.*, p. 70-72.

150. C'était Evgenij Utin, jaloux des lauriers révolutionnaires de Nicolas Utin.

151. Avec la montée de la réaction, les jeunes radicaux se rapprocheront de Kostomarov et l'on vit, aux soirées que donnait celui-ci, les jeunes « Robespierre » qui l'injuriaient le 8 mars. Mais il ne retrouva jamais sa chaire et fut casé à la Commission d'archéologie, Panteleev, 1958, p. 258-270.

152. Dans le *Russkij Invalid* du 25 mai 1862.

tesque incendie de l'Apraksin Dvor, un des plus grands « souks » pétersbourgeois. La voix populaire désigna cette fois les étudiants. Il devint dangereux pour eux de se promener en uniforme. Portiers et cochers criaient à l'incendiaire. Plusieurs manquèrent d'être lynchés. L'un d'eux, prêt d'être jeté au feu, fut sauvé par une patrouille.

Il n'y avait, bien entendu, aucun lien entre les incendies — plaie chronique des villes russes — et les révolutionnaires. *Molodaja Rossija* n'aurait pas été prise au sérieux sans le feu qui, rétrospectivement, lui donna valeur de preuve [153]. Les étudiants pétersbourgeois ne l'avaient affichée que parce qu'ils affichaient par principe n'importe quelle proclamation. Ils y étaient entièrement étrangers, puisqu'elle venait du groupe infime de Zajčnevskij et d'Argyropulo, présentement emprisonnés à Moscou et qui ne représentaient aucunement l'opinion des étudiants moscovites. Mais le public libéral inclut dans le même ensemble symbolique la proclamation, les étudiants, les incendies. Des écrivains comme Leskov firent écho à la campagne de réaction, et les libéraux de la veille trouvèrent les mesures — pourtant d'exception — insuffisantes [154].

Cette onde de peur du printemps 1862 fut la coupure essentielle de la période et le début du regel de la Russie.

Le *Sovremennik*, le *Russkoe Slovo* et même le *Den'* d'Aksakov durent cesser de paraître. L'imprimerie fut de nouveau surveillée de près. Les écoles du dimanche furent fermées. Beaucoup de jeunes furent arrêtés. En ce qui concerne les étudiants, ils furent protégés non pas par l'opinion, mais, comme à Moscou quelques mois auparavant, par l'intervention de quelques hauts fonctionnaires. Le ministre Golovin demanda à Valuev (ministre de l'Intérieur) de mettre hors de cause les étudiants. Le gouverneur Suvorov, paternel à la jeunesse, fit relâcher les étudiants arrêtés, qui peut-être, sans lui, eussent été pendus sur place. La commission d'enquête ne trouva rien, et, quand tout fut calmé, il se fit une réaction en sens inverse. On eut honte des soupçons, mais, comme le remarque Panteleev, « dans le ciel bleu des années soixante, le nuage de fumée continua de planer » [155].

Ainsi, la « société », par son état d'esprit réel ou imaginaire, cessa d'être excitateur de la jeunesse étudiante. Ce rôle appartenait désormais aux groupes révolutionnaires. Ils requéraient un engagement d'une autre portée et autrement périlleux que les juvéniles chahuts des années précédentes, et d'une valeur morale moins généralement établie que le mouvement des écoles du dimanche. Entrer en révolution à cette date, c'était rompre avec la société russe au moment où il devenait facile d'y rentrer : seuls quelques-uns pouvaient franchir le pas.

Nous avons présenté l'école de l'Université comme un long processus

153. La *Severnaja Pčela* du 30 mai s'en fit l'écho ainsi que la *Naše Vremja* et le *Sovremennoj Letopis'*.
154. PANTELEEV, 1958, p. 273-278.
155. *Ibid.*, p. 88.

de déclassement, d'isolement, de déracinement. Mais il ne faut pas perdre de vue que l'évolution globale de la Russie agit en sens inverse et crée, en ces années, un appel de carrières qui tend à reclasser et à enraciner. Ecoutons une fois de plus l'excellent témoin Panteleev qui pourtant avait choisi la Révolution :

> « Dans beaucoup d'administrations, par le fait des réformes qui s'accomplissaient, il y avait une immense demande de jeunes forces. Non seulement on ne renvoyait pas les personnes d'opinions libérales, mais on prenait volontiers des personnes plus ou moins compromises, nihilistes, comme on disait. Et on n'agissait pas ainsi par négligence, mais délibérément, parce que c'était presque toujours des gens capables et indubitablement honnêtes. »

Et il cite le cas de deux camarades, exclus comme lui :

> « Aussitôt qu'ils eurent passé l'examen de *kandidat*, ils furent casés. L'un resta attaché à l'Université et le second reçut une place de professeur dans un gymnase militaire ; (un troisième), lui aussi exclu, fut dénoncé dès qu'il fut en poste. Mais le directeur du département n'y prêta aucune attention et bientôt le titularisa. »[156]

Panteleev fut pris au ministère de l'Intérieur, bien que le chef du service sût qu'il avait été exclu de l'Université et qu'il avait fait l'objet d'une perquisition. On pourrait multiplier les exemples. Et de plus, s'ouvraient les domaines de la simple activité sociale, avec la promulgation des réformes de l'administration locale et la réforme judiciaire. L'étudiant exclu, Nehljudov, non seulement fut accepté comme juge de paix à Pétersbourg, mais encore titularisé.

Le nouveau statut universitaire. Constatant la fin du mouvement étudiant, Venturi écrit :

> « Surtout apparaît le nouveau statut universitaire. Il limite fortement, abolit pratiquement le corporatisme étudiant. En revanche, une compensation est offerte aux classes cultivées : l'autonomie des universités dans le choix des professeurs et dans leur administration interne. »

Le schéma est exact, mais il ne faut pas exagérer la valeur causale du statut de 1863. Il ne fait, selon nous, qu'entériner le nouvel état de fait.

A l'exception, il est vrai, aberrante de Putjatin'[157], les hommes qui s'étaient succédé à la tête de l'Instruction publique, Norov (1855-1858), Kovalevskij (1858-1861) et Golovin (1861-1866), étaient de bons ministres, d'esprit large et éclairé, des administrateurs de l'école de

156. *Ibid.*, p. 328.
157. Qui dut s'en aller en décembre 1861.

Miljutin. Cependant, les cinq ou six années qui ont suivi l'avènement du nouvel empereur furent simplement des années de restauration. On desserra le carcan imposé par le despote, mais on resta sous l'empire du statut de 1835. La préparation du nouveau statut fut une longue affaire, et un exemple remarquable de la procédure des réformes, avec son appel aux compétences et au concours de l'opinion éclairée. Un premier projet avait été mis au point, par les services du ministère, dès 1858. Il fut envoyé pour examen à l'université de Moscou. Puis il fut transmis à Kazan' et fit le tour de toutes les universités de l'empire. En 1861 fut constituée, auprès du ministère, une commission qui comprit tous les curateurs et huit professeurs qui représentaient leurs universités. Elle établit un nouveau projet sur la base de celui qui était revenu à Pétersbourg, chargé de toutes les observations recueillies en cours de route. Imprimé, il fut adressé derechef, pour examen consultatif, aux universités et à un certain nombre de personnalités privées, voire à des savants étrangers. Le Comité scientifique (*Učenyj Komitet*) rédigea alors une troisième version, qui, après quelques modifications, passa en Conseil d'Etat, et, légèrement retouchée, fut enfin soumise à la signature impériale le 8 juin 1863 [158].

Formellement, le projet s'inspirait à la fois du modèle allemand et du modèle français [159]. C'était à dire qu'était instauré le self-gouvernement universitaire et qu'en même temps les étudiants étaient soumis à un plan d'études uniforme et obligatoire.

« L'autonomie de la corporation des professeurs, telle était l'idée de base du nouveau statut. » [160] Le pouvoir du curateur était réduit et contrôlé. Tous les curateurs, sauf un, s'étaient d'ailleurs déclarés pour cette réduction et pour ce contrôle. Le conseil des professeurs était rétabli dans les droits qui étaient les siens avant le statut de 1835 et devenait le pivot de la vie universitaire.

158. MILJUKOV, 1899, p. 236.

159. Kavelin avait publié dans le *ŽMNP* une enquête sur les universités françaises. Il concluait à l'excellence des résultats pédagogiques, mais critiquait la structure « autoritaire » de l'Université napoléonienne. Lettre du 16 oct. 1862, *in* : *ŽMNP*, 1862, t. 116.

160. Elle était assurée par les dispositions suivantes : l'Université est administrée par un recteur élu pour quatre ans, parmi les professeurs ordinaires, et administrée par un conseil qui comprend tous les professeurs ordinaires et extraordinaires. Ce conseil décide des méthodes d'enseignement et de l'octroi des grades. Le curateur de la circonscription universitaire approuve l'élection par le conseil des membres honoraires des *docent*, des lecteurs et des membres du tribunal universitaire. Le ministre sanctionne l'élection et la démission du recteur, du doyen, des professeurs, la division des facultés en sections, la désignation des matières obligatoires, le règlement des épreuves de doctorat. Chaque faculté organise son enseignement, élit le doyen pour trois ans, propose aux chaires des candidats, la nomination étant réservée au ministre. Le tribunal est compétent pour les affaires de discipline. Il comprend des professeurs élus par le conseil, dont un obligatoirement choisi parmi les professeurs de la faculté de droit. Le vice-recteur, élu pour trois ans, ou l'inspecteur, sont commis à la surveillance des étudiants. MILJUKOV, 1899, p. 337.

Mais ce sont les discussions très libres et ardentes à propos de la réforme qui, mieux que l'analyse du statut, permettent de saisir l'idéologie sous-jacente à cette grande revendication d'autonomie. Comment ces professeurs concevaient-ils l'Université ? [161]

Kostomarov posait en principe que l'étudiant n'était pas un écolier. C'est un homme adulte, qui ne fréquente l'Université que pour satisfaire son libre appétit de savoir. Elle doit être, par conséquent, le simple lieu d'une conversation désintéressée entre le maître et l'élève. L'amphithéâtre n'est qu'une salle de cours publics, fréquentée par qui le désire, sans aucune espèce de privilèges. Entre le professeur et l'étudiant se noue un lien temporaire gratuit, fortuit : toute tentative de l'institutionaliser serait un anachronisme moyenâgeux. Pirogov, et avec lui un important courant d'opinion, soutenait sous une autre forme cette idée de contrat privé entre l'élève et son maître. Le but de l'Université étant le développement de la science, le seul moyen d'atteindre ce but est de laisser leur entière liberté d'action aux professeurs et aux étudiants. Pas d'obligations mutuelles, le moins possible de privilèges de part et d'autre. En particulier, il n'est pas souhaitable que s'établisse une correspondance entre le grade universitaire et le grade dans le tableau des rangs. Si l'Etat tient absolument à ce que le grade confère un rang plus élevé dans le service, qu'il se charge lui-même de faire passer les examens. Mais que cela ne soit pas, « sauf en cas d'extrême nécessité », le travail de l'Université. Les professeurs Čičerin et Gorlov proposent aussi que ce soit l'Etat qui confère les grades et se charge des examens.

Pirogov estime qu'il est préférable que les professeurs ne figurent pas dans le tableau des rangs. Pour que les chaires ne deviennent pas des sinécures, il proposait de les soumettre à l'élection tous les douze ans, de les mettre en concours public, enfin de permettre aux *docents* de faire des cours parallèles à ceux des plus vénérables professeurs titulaires, afin de faire jouer une concurrence auprès des étudiants. Dans son désir de secouer le corps professoral, Pirogov songeait même à le payer à l'heure.

De tels projets, qui, heureusement, n'eurent pas de suite, peuvent s'interpréter de deux façons différentes. Pour les professeurs, cette « privatisation » de l'Université, sans aucun doute, correspondait au désir de lui rendre un dynamisme dont la bureaucratisation avait pu la priver ; de lui rendre cette disponibilité d'esprit qui est indispensable au bon travail scientifique. Mais aussi, ces projets expriment une fois de plus la tendance ancienne de l'Université russe à s'isoler de la société et à ignorer ses besoins. Dans ce pays illettré, où l'appareil d'Etat (et tout l'appareil de commandement) se trouve entre les mains d'hommes insuffisamment qualifiés, l'Université, répugnant aux tâches mesquines de l'examen et de la collation des grades, ne pense qu'à se constituer

161. MILJUKOV, *ibid.*, p. 338 et ss.

en libre société savante, en centre de recherche pure et de culture désintéressée. Alors que l'Etat est en train de perdre l'idéal technique de Pierre le Grand, l'Université, dans son désir d'imiter les meilleures réalisations étrangères (sur lesquelles elle a les yeux constamment fixés), dédaigne les *politechnikum* germaniques et rêve de devenir une sorte de Princeton. Mais ce faisant, elle rejoint un idéal de culture aristocratique, de développement d'individualités d'élite, qui est bien plus un idéal de l'Ancien Régime qu'elle croit combattre que des temps nouveaux qu'elle aspire à préparer.

Quant au sort des étudiants, il serait injuste d'accuser les professeurs de l'avoir sacrifié à leur nouvelle position. La plupart des rapporteurs attribuaient les désordres de 1861 à la privation d'autonomie qui, à partir de 1835, avait ôté au conseil universitaire la responsabilité des étudiants et le moyen d'agir sur eux. Point de vue simpliste, mais qui éclaire la question du corporatisme étudiant.

> « L'organisation souhaitable de la société étudiante, disait le professeur Spasovič, est de parvenir simplement à ce que les étudiants, pour les questions ayant trait à l'enseignement, se soumettent à une autorité particulière. La corporation dont il s'agit n'est pas un organisme purement étudiant. Elle comprend aussi les maîtres — par conséquent, toute l'Université — et ne signifie pas autre chose que le self-gouvernement (*samoupravlenie*) universitaire. La guerre contre la corporation étant donc proprement une guerre contre un fantôme, le différend était fondé en grande partie sur un malentendu, et beaucoup d'ennemis de corporatisme auraient fait la paix avec lui s'ils s'étaient rendu compte de sa signification. » [162]

Aussi plusieurs rapporteurs veulent-ils donner aux étudiants le droit de se grouper en confréries (*tovaričestvo*) et cercles (*kružok*) sous la surveillance et la responsabilité des autorités universitaires. Si, par malheur, il devenait nécessaire de les dissoudre, ce serait un événement intérieur à l'Université et non pas un important événement politique.

Le diagnostic de Spasovič et de ses collègues avait ceci de juste qu'il soulignait la carence et l'impuissance de l'Université russe à contrôler et régler la socialisation des étudiants. Mais il est rétrospectif. Au moment où ces discussions ont lieu, le schisme entre les professeurs et les élèves est déjà consommé. Cela, Pirogov, avec son expérience et sa finesse habituelles, l'a senti. Il rapporte la question du corporatisme à la situation de l'Université en Russie :

> « C'est là seulement où les tendances et les passions politiques ont pénétré profondément à travers toutes les couches de la société

162. *Ibid.*, p. 340.

qu'elles s'expriment, sans clarté, il est vrai, à travers l'Université... Là où la vie politique de la société se balance comme le matelot de vigie, où les passions politiques ne descendent pas les hautes sphères jusqu'aux générations encore non mûries, seule ressort au premier plan dans l'Université sa destination primordiale : l'activité scientifique... Mais plus les passions politiques prennent la société à l'improviste, moins elle est accoutumée aux changements et aux révolutions, plus son humeur s'exprime à travers l'Université. »[163]

Pirogov aperçoit avec perspicacité le moment passager entre l'autocratie finissante et la démocratie encore à naître, où l'Université s'arroge un rôle anormal ; dans la Russie qui n'est pas encore assez libéralisée pour que la vie politique se dilue dans le corps social et s'exprime par le véhicule de la presse, des organes représentatifs et des partis, mais qui n'est plus assez autocratique pour que la seule voix qui se fasse entendre soit celle du souverain, la vie politique se concentre dans l'Université, substitut d'une société encore inorganisée ou muette, et qui s'en croit le porte-parole légitime et le modèle.

Mais ce moment, en 1863, est passé, et l'Université n'est plus un corps uni. C'est pourquoi Pirogov ne se fait pas d'illusion sur l'avenir des corporations étudiantes :

> « Il n'y a presque jamais eu chez nous de fort lien moral entre le collège des professeurs et les étudiants. Il est difficile de croire que le nouvel ordre des choses, même avec l'autonomie universitaire, renforcera avant longtemps le lien entre le collège des professeurs et les étudiants. Si, même dans ces conditions, le collège prend sur lui la responsabilité devant le gouvernement de maintenir l'ordre parmi les étudiants, il sera impossible de ne pas souhaiter le succès à sa bonne volonté. Mais pour cela le collège doit avant tout restaurer son autorité morale, et, pour la restaurer, l'autonomie seule est peu. »

Alors, faut-il autoriser les formes de groupements que se donnent les étudiants ? En 1859, Pirogov avait proposé au ministre de les limiter ou bien de les organiser régulièrement. En 1863, il pense que l'une comme l'autre solution est dépassée. Si on les interdit, ils existeront quand même, illégaux, complètement rebelles à l'influence éventuelle des professeurs. Si on les autorise,

> « il nous manquera toujours deux conditions essentielles : les traditions qui les organiseraient de l'intérieur et l'autorité morale des organisateurs qui auraient pu les organiser de l'extérieur. »

163. *Ibid.*, p. 340-341.

Il est trop tard : les universités russes ayant manqué l'occasion de fournir un cadre de valeurs et d'action à la jeunesse étudiante, le corporatisme étudiant, au lieu d'être l'antichambre de la vie, ne pourrait devenir que la propédeutique de la révolution. Et, dans ce rôle, les « cercles » clandestins l'ont remplacé.

Bibliographie

N'est donnée ici que la liste alphabétique des ouvrages et articles effectivement cités et non pas la bibliographie générale du sujet.

ABRAMOV I., *Naši voskresennye školy,* Saint-Pétersbourg, 1900, 351 p.
AKSAKOV S., *Un lycéen de Kazan,* Paris, 1958, 324 p.
ALEŠINCEV I., *Istorija gimnazičeskogo obrazovanija v Rossii (XVIII-XX vv.),* Saint-Pétersbourg, 1912, 346 p.
ALSTON P., *Education and State in Tsarist Russia,* Stanford, Cal., 1969, 322 p.
ARSEN'EV K., *Načertanie statistiki rossijskogo gosudarstva,* Saint-Pétersbourg, 1818, vol. I et II.
AŠEVSKIJ S., « Russkoe studenčestvo v epohu šestidesjatyh godov », *Sovremennyj Mir* 6-11, 1907.
BARABOJ A., « Har'kovsko-kievskoe revoljucionnoe tajnoe obščestvo », *Istoričeskie zapiski Instituta Istorii AN SSSR,* 1955.
BOBORYKIN P., *Za polveka : moi vospominanija,* Moscou-Leningrad, 1929, 387 p.
ČIČERIN B., *Vospominanija,* Moscou, 1929, 279 p.
CONFINO M., *Domaines et seigneurs en Russie à la fin du XVIII*e *siècle,* Paris, 1963, 311 p.
COQUART A., *Dmitri Pisarev (1840-1868) et l'idéologie du nihilisme russe,* Paris, 1946, 464 p.
DEJČ, L., « Počemu ja stal revoljucionerom », *Golos Minuvšago* 5, 1919.
DERKAČEV I., « Iz moskovskih studenčeskih vospominanij », *cf. Vospominanija studenčeskoj žizni.*
DOBROLJUBOV N., *Textes philosophiques choisis,* Moscou, 1956, 720 p.
ERIKSON E., *Childhood and Society,* New York, 1950, 397 p.
EŠEVSKIJ S., « Moskovskij Universitet v 1861 godu », *Russkaja Starina,* juin 1898.
EVGEN'EV-MAKSIMOV V., TIZENGAUZEN G., *Poslednie gody « Sovremennika »,* Leningrad, 1939, 344 p.
FIRSOV N., « Studenčeskie Istorii v Kazan'skom Universitete, 1855-1863 », *Russkaja Starina* 3, 4, 6, 8, 1889.
GANELIN S., *Očerki po istorii srednej školy v Rossii vtoroj poloviny XIX veka,* Moscou, 1954, 303 p.
GERCEN A., [Herzen], *Byloe i dumy.*
GERCEN A. [Herzen], *Nouvelle phase de la littérature russe, 1864,* éd. AN, t. XVIII, p. 154 et ss.
GERSCHENKRON A., « The Problem of Economic Development in Russian Intellectual History of the Nineteenth Century », *in : Continuity and Change in Russian and Soviet Thought,* ed. E. Simmons, Harvard, Cambridge, Mass., 1955, p. 11-40.
GESSEN S., *Studenčeskoe dviženie v načale šestidesjatyh godov,* Moscou, 1932.
GONČAROV I., *Obryv.*
GOURFINKEL N., *Naissance d'un monde,* Paris, 1953, t. I, 324 p.
GRIGOR'EV V., *Imperatorskij S. Peterburgskij Universitet v tečenie pervyh pjatidesjatyh let ego suščestvovanija,* Saint-Pétersbourg, 1870, 432 p.
HUDJAKOV I., *Opyt avtobiografii,* Genève, 1882, 184 p.
« Istoričeskaja zapiska, sostavlennaja universitetskoj komissiej po povodu proisho-

divših v Sentjabre i Oktjabre 1861 g. besporjadkov meždu studentami Moskovskogo universiteta i prestavlennaja universitetskim sovetom črez ego prevoshod. G. Popečitelja Moskovskogo okruga ». Signé : Solov'ev, Bodjanskij, Leont'ev, Eševskij, Čičerin, *Kolokol* 126-127.

Istorija Moskovskogo Universiteta, Moscou, 1955, t. I, II.

JAMPOLTSKIJ I., « Bjudžet N.A. Dobroljubova », *Literaturnoe Nasledstvo,* Moscou, 1936, t. 25-26, p. 344-352.

JASTREBOV F., *Revoljucionnye demokraty na Ukrajne,* Kiev, 1960, 307 p.

JOHNSON W., *Russia's Educational Heritage,* Pittsburgh, 1950, 351 p.

KAVELIN K., *Sobrannye sočinenija,* Saint-Pétersbourg, 1898, t. II : « Zapiska o besporjadkah v S. Peterburgskom Universitete », p. 1191-1206.

KIRPIČNIKOV A., *cf. Vospominanija...*

KLJUČEVSKIJ V., *Sočinenija,* Moscou, 1958, t. I-VII.

KNJAZKOV S., SERBOV N., *Očerki istorii narodnogo obrazovanija v Rossii do epohi reform Aleksandra II,* Moscou, 1910, 210 p.

Kolokol.

KOZ'MIN B., *Iz istorii revoljucionnoj mysli v Rossii,* Moscou, 1961, 768 p.

KRASNOPEROV I., *Zapiski raznočinca,* Moscou-Leningrad, 1929.

KROPOTKIN P., *Zapiski revoljucionera,* Moscou-Leningrad, 1933, 364 p.

KROPOTKINE P., *Autour d'une vie,* Paris, 1902, 536 p.

KROUPSKAÏA N., *Ma vie avec Lénine,* Paris, 1933, 303 p.

KULJABKO S., « Vospominanija o Pirogove », *Russkaja Starina* 11, 1892.

LABRY R., *Alexandre Herzen,* Paris, 1928, 430 p.

LEJKINA-SVIRSKAJA V., « Formirovanie raznočinskoj intelligencii v 40h godah XIX v. », *Istorija SSSR* 1, 1958.

LEJKINA-SVIRSKAJA V., *Intelligencija v Rossii vo vtoroj polovine XIX veka,* Moscou, 1971, 368 p.

LEMKE M., *Očerki osvoboditel'nogo dviženija « šestidesjatyh godov »,* Saint-Pétersbourg, 1908, 508 p.

LEMKE M., *Političeskie processy v Rossii 1860h godov,* Moscou-Leningrad, 1923, 684 p.

LEROY-BEAULIEU A., *L'empire des tsars et les Russes,* Paris, t. I, II, III, éd. 1898, *sq.*

LEVIN S., *Obščestvennoe dviženie v Rossii 60-70 gody XIX veka,* Moscou, 1958, 510 p.

LJUBARSKIJ I., « Vospominanija o Har'kovskom Universitete », *Istoričeskij Vestnik,* août 1861, cit. SOLOV'EV.

MALIA M., *Alexander Herzen and the Birth of Russian Socialism,* Harvard, Cambridge, Mass., 1961, 486 p.

MALIA M., « What is the Intelligentsia », *cf.* PIPES, 1962.

Materialy sobrannye otdelom vysocajščej učrezdennoj komissii dlja peresmotra obščago ustava rossijskih universitetov, Saint-Pétersbourg, 1876.

MAZON A., *Un maître du roman russe, Ivan Gontcharov,* Paris, 1914, 473 p.

MEL'GUNOV S., *Iz istorii studenčeskih obščestv v russkih universitetah,* s.l., 1904, 74 p.

MIHAJLOV-SELLER, « Gnilye bolota », *Sovremennik* 2-3, 1864.

MILJUKOV P., *Očerki po istorii russkoj kul'tury,* Saint-Pétersbourg, 1898-1909, *Očerk sed'moj, Škola i obrazovanie,* Saint-Pétersbourg, 1899, 373 p.

NIKITENKO A., *Dnevnik,* Leningrad, 1955, t. I-III.

NIKOLADZE N., « Vospominanija o šestidesjatyh godah », *Katorga i Ssylka* 4 et 5, 1927.

OKUN S., *Očerki istorii SSSR,* Leningrad, 1957, 430 p.

OSTROGORSKIJ V., *Iz istorii moego učitel'stva,* Saint-Pétersbourg, 1895, 293 p.

PANTELEEV L., *Vospominanija,* Moscou, 1958, 847 p.

PIPES R., « The Historical Evolution of the Russian Intelligentsia », *in* : PIPES, 1962.

PIPES (ed.), *The Russian Intelligentsia,* New York, 1962, 234 p.

PIROGOV M., *Les questions de la vie,* Paris, 1868, 40 p.
Polnoe Sobranie Zakonov.
POMJALOVSKIJ N., « Očerki bursy », *in : Sočinenija,* Moscou, 1949, p. 213-355.
PYPIN N., « Moi zametki », *Vestnik Evropy* 2-3, 1905.
RAEFF M., « Home, School and Service in the Life of the 18th Century Russian Nobleman », *Slavic and East European Review* 95, juin 1962.
RAEFF M., « L'Etat, le gouvernement et la tradition politique en Russie impériale avant 1861 », *Revue d'Histoire moderne et contemporaine,* oct.-déc. 1963.
RENNENKAMPF N., « Kievskaja universitetskaja starina », *Russkaja Starina* 7, 1899.
ROMANOV-SLAVJATINSKIJ A., « Moja žizn' i akademičeskaja dejatel'nost' », *Vestnik Evropy* 4, 1903.
ROŽDESTVENSKIJ S., *Istoričeskij obzor dejatel'nosti Ministerstva Narodnogo Prosveščenija, 1802-1902,* Saint-Pétersbourg, 1902, 785 p.
SALIAS E., « Sem' arestov », *Istoričeskij Vestnik* 1, 1898.
SALTYKOV-ŠČEDRIN M., *Sočinenija,* éd. Marks.
SANINE K., *Saltykov-Chtchédrine,* Paris, 1955, 359 p.
ŠČEGLOV, *Vyščee učebnoe zavedenie v Jaroslavle,* Jaroslavl', 1903, 277 p.
SEMANOVSKIJ M., « Vospominanija o žizni v Glavnom pedagogičeskom Institute, 1853-1857 », *in : Dobroljubov v vospominanijah sovremennikov,* Moscou, 1961, p. 48-90.
ŠESTAKOV P., « Studenčeskie volnenija v Moskve v 1861 », *Russkaja Starina* 10, 1888.
SOLOGOUB F., *Le démon mesquin,* Paris, 1949, 370 p.
SOLOV'EV I., *Russkie universitety v ih ustavah i vospominanijah sovremennikov,* Saint-Pétersbourg, 1914, 206 p.
SOLOV'EV S., « Vospominanija studenčeskoj žizni », *Vestnik Evropy* 5, 1907.
SOROKIN V., « Vospominanija starogo studenta », *Russkaja Starina* 2, 1906.
STASOV V., *Vospominanija o moej sestre,* Saint-Pétersbourg, s.d.
Statističeskie tablicy Rossijskoj Imperii za 1856, sostavlennye i izdannye po rasporjazeniju Ministerstva Vnutrennyh Del, statističeskim otdelom Central'nogo Statističeskogo Komiteta, Saint-Pétersbourg, 1858.
SVINYN I., *Vospominanija studenta šestidesjatyh godov,* Tambov, 1890, 155 p.
TKAČENKO P., *Moskovskoe studenčestvo v obščestvenno-političeskoj žizni vtoroj poloviny XIX veka,* Moscou, 1958, 336 p.
USTRJALOV, « Vospominanija », *Russkij Arhiv* 1, 1892.
Vehi, Sbornik statej o Russkoj intelligencii, Moscou, 1909, 211 p.
VENTURI F., *Il populismo russo,* Turin, 1952, 1194 p.
VITJAZEV P., « P.L. Lavrov v vospominanijah sovremennikov », *Golos Minuvšago* 9, 1915.
Vospominanija studenčeskoj žizni, Moscou, 1899, 270 p.
WALLACE D., *Russia on the Eve of War and Revolution,* New York, 1961, 528 p.
Žurnal Ministerstva Narodnago Prosveščenija (en abréviation, *ŽMNP*), Saint-Pétersbourg, 1834-1917.

Table des matières

IMPRIMERIE AUBIN 86240 - LIGUGÉ
D.L., 3e trim. 1974. — Edit., 5552. — Impr., 7797.
Imprimé en France